Les chats du commissaire

Nicolas Gerrier

hachette
FRANÇAIS LANGUE ÉTRANGÈRE

CD audio

Durée: 82'50

Format MP3: Les MP3 s'écoutent sur l'ordinateur, sur les baladeurs, les autoradios, les lecteurs CD et DVD fabriqués depuis 2004.

Enregistrements: Quali'sons

Comédien: Hugues Martel

Piste 1	*Chapitre 1*
Piste 2	*Chapitre 2*
Piste 3	*Chapitre 3*
Piste 4	*Chapitre 4*
Piste 5	*Chapitre 5*
Piste 6	*Chapitre 6*
Piste 7	*Chapitre 7*
Piste 8	*Chapitre 8*
Piste 9	*Épilogue*

Rédaction du dossier pédagogique: Nicolas Gerrier

Édition: Atelier des 2 Ormeaux (Christine Delormeau)

Maquette de couverture: Nicolas Piroux

Photos de couverture: © GettyImages

Maquette intérieure: Sophie Fournier-Villiot (Amarante)

Mise en pages: Atelier des 2 Ormeaux (Franck Delormeau)

Illustrations: Bruno David

Pour Hachette Éducation, le principe est d'utiliser des papiers composés de fibres naturelles, renouvelables, recyclables, fabriquées à partir de bois issus de forêts qui adoptent un système d'aménagement durable. En outre, Hachette Éducation attend de ses fournisseurs de papier qu'ils s'inscrivent dans une démarche de certification environnementale reconnue.

ISBN : 978-2-01-201401644-4

© HACHETTE LIVRE 2020, 58 rue Jean-Bleuzen, 92178 VANVES CEDEX, France.

SOMMAIRE

FICHES

CORRIGÉS DES ACTIVITÉS

CHAPITRE 1

Des vieux livres et de la poussière

Vendredi 19 avril. 9 heures du matin.

L e commissaire Romain Bourdon gare sa voiture sur le parking situé à l'extrémité du chemin du Thabor. Il se trouve à une centaine de mètres du lieu du crime. Mais le policier ne prend pas le chemin direct. Il veut d'abord découvrir la ville de sa nouvelle enquête. Il attrape un caramel mou au beurre salé dans la poche de sa veste. Il adore cette spécialité bretonne.

Romain Bourdon est à Bécherel pour la première fois. Il habite en Bretagne depuis cinq mois, mais son travail lui laisse peu de temps pour découvrir la région.

Une pluie fine tombe et la température est douce. Il marche une vingtaine de mètres sur le chemin du Thabor puis continue par la rue de la Chanvrerie. Les vieilles maisons en pierre et aux volets de couleurs vives donnent un charme ancien aux rues. Combien de personnes vivent ici ? Moins de sept cents sans doute. À quand remonte le dernier meurtre ? Au siècle dernier ou plus loin encore. Pourquoi tuer quelqu'un dans une ville si calme ?

Un homme et une femme discutent devant une boulangerie.

– Vous êtes ici pour le meurtre ? demande l'homme au commissaire. Prenez tout droit la rue de la Beurrerie, puis, à l'église, tournez à gauche. C'est à deux minutes.

Romain Bourdon sourit : les nouvelles vont vite et on remarque facilement un policier. Il les remercie et continue sans se presser. L'homme et la femme regardent s'éloigner ce grand type d'un mètre quatre-vingt-dix, aux cheveux courts et à la barbe bien taillée. Les policiers ont du style de nos jours.

Trois voitures de police sont garées juste derrière l'église. Le commissaire salue un collègue. Puis il aperçoit une dizaine de personnes en bas d'un large escalier en pierre gardé par deux gendarmes. Elles parlent à voix basse et se prennent dans les bras. L'émotion est forte.

Romain Bourdon lève la tête et lit des lettres rouges sur la maison en haut de l'escalier : *Librairie Ya d'ar Brezhoneg — Oui à la langue bretonne*.

L'un des gendarmes le reconnaît et demande d'une voix forte :

— Laissez passer le commissaire, s'il vous plaît.

Les personnes s'écartent. Un homme dit :

— Il faut attraper ces salauds !

Les autres approuvent. Le commissaire monte les trois premières marches puis se retourne :

— Je comprends votre émotion. Nous allons faire notre travail. Le mieux est de rentrer chez vous.

Le commissaire entre dans la librairie et, tout de suite, il éternue.

— À vos souhaits, commissaire. Vous êtes allergique aux livres ?

Le commissaire sourit et accepte le mouchoir en papier de Franck Pludono. Puis il serre la main de son lieutenant. Pludono se moque gentiment de son chef, car Romain Bourdon n'aime pas lire.

— C'est la poussière, répond le commissaire et... il y a des chats ici ?

— Oui, deux. Mais il est impossible de les attraper. Ils se sont cachés. Ici, il y a des vieux livres et de la poussière. Cela va être l'enfer pour vous.

— Arrête de me vouvoyer. Nous avons presque le même âge.

– J'ai dix ans de moins quand même. Vous fêtez bien vos quarante-quatre ans la semaine prochaine ?

– Quarante-trois ! Tu n'as pas besoin de me le rappeler. Quelle est la situation ici ?

– Les collègues de la police scientifique viennent de s'en aller il y a cinq minutes. Si vous êtes d'accord, le corps peut partir à Rennes pour l'autopsie.

– Doucement, nous avons le temps. Explique-moi d'abord la situation.

Les deux policiers traversent une véranda où s'alignent des piles de bandes dessinées. Ils passent ensuite devant trois tables recouvertes de livres aux couvertures anciennes. Le commissaire découvre alors sur le sol un homme allongé sur le dos. Des livres sont dispersés[1] autour de lui. Un drap blanc couvre son corps. Pludono sort un petit carnet et explique :

– La victime s'appelle Yann Cornic, un libraire de soixante-quatorze ans, spécialiste des livres anciens. Il est aussi un grand défenseur de la langue bretonne. Il est originaire de Brest et vit à Bécherel depuis soixante ans. Il habite au-dessus de sa librairie. Il est veuf, sa femme est morte l'année dernière d'un cancer. Il n'a pas d'enfant. D'après les premières observations, il est mort de dix coups de couteau dans le ventre. L'heure du décès est entre 23 heures et minuit. Katell Guénan, une libraire de Bécherel, a découvert le corps vers 7 heures du matin.

– Il y a combien de librairies à Bécherel ?

– Une petite quinzaine. Je vous l'ai dit : c'est l'enfer pour vous ici.

Quinze librairies dans la même ville ? Comment est-ce possible ?

Le commissaire soulève le drap et découvre le visage de Yann Cornic.

---

1 Dispersé : disposé sans ordre particulier.

– Il ressemble à un gentil père Noël avec ses cheveux et sa longue barbe blanche, dit-il.

Bourdon parcourt ensuite les allées formées par les tables et les piles de livres. Deux chats apparaissent trois mètres devant lui. Ils s'approchent du policier, se frottent sur sa jambe et disparaissent.

– Alors, Franck, que s'est-il passé d'après toi ?

– Le voleur entre dans la librairie pour voler des livres. Il est en train de remplir un sac avec de vieux livres quand le libraire le surprend et lui saute dessus. Une bagarre éclate. Les deux hommes renversent des piles de livres. Le voleur est plus jeune et plus fort, il enfonce son couteau dans le ventre du vieux libraire. Le pauvre homme meurt pour défendre ses livres.

Bourdon consulte quelques livres et dit :

– Je ne crois pas. Le prix des livres est écrit au crayon à papier en première page : 4 euros, 2,50 euros... Qui vole des livres de ce prix ? Il faut emporter toute la librairie pour faire fortune. Regarde dans ces vitrines, il y a des livres plus anciens ou plus rares.

Les vitrines sont fermées à clé. Les deux policiers lisent des prix à travers les vitres : 400 euros, 2 100 euros...

– Ils sont beaucoup plus chers, dit Pludono.

– Pourtant, le voleur ne les a pas pris. Il est donc là pour un objet précis avec plus de valeur. Il n'a pas choisi cette librairie par hasard. La question est : a-t-il trouvé cet objet ?

Pludono reconnaît bien là son chef : le commissaire Bourdon ne croit jamais au hasard.

– L'autre question est : pourquoi a-t-il donné dix coups de couteau ? enchaîne le lieutenant.

– C'est étrange en effet. Il y a une porte ou une vitre cassée ?

– Non. Le libraire ne ferme peut-être pas à clé. Bécherel est une commune calme.

– Ou bien le voleur a les clés. Ou bien Yann Cornic le connaît et le laisse entrer.

Romain remarque un cadre photo posé sur une bibliothèque. Yann Cornic pose devant sa librairie avec une jeune femme.

– C'est Katell Guénan, dit Pludono, la libraire qui a trouvé le corps ce matin.

– Que faisait cette jeune femme chez ce vieux monsieur à 7 heures du matin ? Je vais aller l'interroger. Pendant ce temps, deux hommes vont fouiller la librairie et toi, tu vas interroger les voisins.

Romain Bourdon quitte la librairie. Lorsque le commissaire arrive en bas de l'escalier en pierre, Pludono l'interpelle :

– Vous avez de nouveaux amis, commissaire ?

Romain se retourne et voit les deux chats qui le suivent. Lui, ami avec des chats ? Jamais de la vie !

CHAPITRE 2

Vous allez bien, commissaire ?

Vendredi 19 avril. 10 h 30 du matin.

Katell Guénan est installée dans un grand fauteuil au milieu de sa librairie. Elle a une grande couverture de laine sur les genoux et tient une tasse de thé chaud. Le commissaire Romain Bourdon est assis en face d'elle sur un tabouret. La jeune femme est encore sous le choc de la découverte du corps de Yann Cornic.

— Comment vous sentez-vous ? lui demande le commissaire.

— Je me sens très mal. Je ne peux pas croire que Yann…

De grosses larmes coulent de ses yeux. Romain Bourdon essaye de détendre l'atmosphère :

— Quinze librairies à Bécherel, c'est beaucoup.

Katell essuie ses larmes et sourit. Visiblement, le policier ne sait rien de Bécherel. Alors, elle lui explique. En 1989, Bécherel est devenue la première Cité du livre en France. Depuis, la commune vit au rythme des animations autour du livre. C'est pourquoi Bécherel compte de nombreuses librairies. Mais il y a aussi d'autres professionnels du livre comme un encadreur, un enlumineur, des relieurs et un éditeur.

— À partir de demain et pour trois jours, dit-elle, Bécherel accueille la Fête du livre. C'est la plus importante manifestation de l'année. Elle se passe toujours pendant le week-end de Pâques.

Le commissaire se lève et fait quelques pas dans la librairie. Il prend un livre. Il ne le lit pas, il tourne simplement les pages.

— Vous n'êtes pas un grand lecteur, remarque Katell.

— Vous voyez ça sur mon visage ?

— Non. Vous ne faites pas attention à ce livre. N'ayez pas peur, il ne va pas vous brûler les doigts.

Romain n'aime pas parler de lui. Mais leur conversation détend la jeune femme, alors il dit :

— Ma mère était une grande amoureuse des livres. Moi, je préfère la télévision. Elle disait toujours : « Mon fils ne lit pas, que va-t-il devenir ? ». Cela m'a bloqué.

— Vous n'entrez jamais dans une librairie ?

— Elles me font peur.

— Les librairies ou les libraires ? sourit Katell.

— Les deux ! Certains libraires prennent les non-lecteurs pour des idiots. Mais votre librairie est...

— Particulière ? On le dit souvent. Je suis spécialisée dans le développement personnel, la méditation, la magie, les médecines parallèles, les contes fantastiques... Pour cela, j'ai appelé ma librairie *L'Éveil*.

Le commissaire ne connaît pas du tout cet univers. Leur conversation a détendu la jeune femme, il peut passer aux questions sur la mort du vieux libraire :

— Vous connaissez Yann Cornic depuis longtemps ?

— Je suis installée à Bécherel depuis cinq ans. J'ai très vite sympathisé avec sa femme et lui. Ils étaient des gens extraordinaires. Yann m'a donné de nombreux conseils pour ma librairie.

Katell s'arrête et pleure :

— Je suis désolée, mais c'est terrible de parler de lui au passé.

— Ne vous en faites pas. Votre réaction est tout à fait normale. Vous avez découvert le corps à 7 heures du matin. C'est une heure matinale. Vous alliez souvent si tôt chez lui ?

— Yann a très mal vécu la mort de sa femme. Sa santé était fragile. Depuis six mois, il oubliait des choses. Il se réveillait le matin et se demandait pendant de longues minutes où il était.

Je venais tous les matins chez lui pour le « mettre sur les rails ».
Vous devez garder cette information pour vous, il ne voulait parler
à personne de ses problèmes.

– Vous pouvez m'en dire plus sur Yann ? Il avait des ennemis ?

– Non. Tout le monde l'aimait, il avait un grand cœur. Il était
toujours prêt à aider les autres.

La jeune femme pleure de nouveau. Le policier attend quelques
instants et demande :

– Yann Cornic laissait-il la porte de sa librairie toujours ouverte ?

– Non. Il la fermait le soir.

– Hier soir, il avait un rendez-vous ?

– Je ne crois pas. Mais je ne vis pas avec lui.

– Vous vivez seule ?

– Oui. Je suis célibataire[1].

La jeune femme réfléchit. Doit-elle tout dire au commissaire
du passé de Yann ? Peut-il comprendre ce qu'elle faisait pour lui ?

À ce moment-là, une fenêtre de la librairie s'ouvre. Deux chats
sautent avec légèreté sur plusieurs tas de livres et s'approchent
de Katell.

– Leur maître leur manque, dit le commissaire. Ils viennent
chercher du réconfort auprès de vous.

Mais les deux chats poursuivent leur chemin et s'installent
aux pieds du commissaire.

– Ils sont là pour vous, dit la jeune femme. Ils s'appellent
Korrigan et Dame blanche, deux personnages de légendes
bretonnes.

– Je suis allergique[2] et je n'aime pas les chats, répond le
commissaire.

Il fait un geste pour les écarter. Mais les chats ne bougent pas.
Katell les observe, puis dit :

---

1 Célibataire : qui n'est pas marié(e).
2 Être allergique : faire une forte réaction physique à quelque chose (aliment, poils d'animaux...).

– Les chats transmettent des énergies positives, vous le savez ?
Ils peuvent vous aider dans des moments compliqués[3] de votre vie.
Souvent, ils choisissent une personne en difficulté et la protègent.
Vous avez un problème particulier en ce moment ?

– Non. Tout va bien.

Katell regarde intensément Romain Bourdon avec ses grands
yeux gris. Tout d'un coup, le commissaire a chaud. Il veut poser
la question suivante, mais le regard de Katell le met mal à l'aise.
Il n'aime pas être observé. Il se lève de nouveau, marche dans la
librairie et prend un autre livre.

– Quel est le titre ? demande la libraire.

– Je ne sais pas, c'est… *Osez changer de vie*.

Le livre échappe des mains du commissaire et tombe par terre.

– Il vous brûle les doigts ? demande Katell.

– Mais non, c'est un hasard.

– Vous croyez au hasard, vous ? Je vous le prête.

– Mais je n'ai pas besoin de lire ça !

Romain Bourdon ramasse le livre. Il le repose au milieu des
autres. Il est là pour son enquête. Il n'a pas besoin de conseils
sur sa vie.

– C'est tout pour l'instant. Je vous laisse ma carte de visite.
Appelez-moi si vous pensez à un détail important.

Il se dirige vers la porte de la libraire puis se retourne :

– Je suis désolé pour la mort de votre ami. Nous allons retrouver
le coupable.

Une fois dehors, il prend une grande respiration. Il essaye de se
calmer. Pourquoi est-il si nerveux[4] en ce moment ? Le lieutenant
Franck Pludono apparaît au même instant à l'angle de la rue :

– Une voisine de Yann Cornic veut vous parler, commissaire.
Elle a des informations importantes à propos de Katell Guénan.

---

3 Un moment compliqué : une période difficile à vivre.
4 Être nerveux : être agité, ne pas rester calme.

Mais elle veut les donner à un commissaire de police, pas à un simple lieutenant. Vous avez interrogé Katell Guénan ? Elle sait quelque chose ?

Le commissaire garde le silence. Il a une drôle d'impression : la jeune libraire est sincère dans son chagrin, mais il a le sentiment qu'elle ne dit pas tout.

— Ça va commissaire ? Vous êtes bizarre. Vous avez un problème ?

Le commissaire explose :

— Oui, ça va ! Arrêtez tous de me demander si je vais bien. Oui, je vais bien ! Très bien même.

Pludono ne comprend pas la réaction de son chef. Il ne réagit jamais comme cela.

— Au fait, dit Pludono, mes hommes ont découvert cet agenda dans la chambre de Yann Cornic. On trouve les initiales KG sur tous les jours de la semaine vers 7 heures du matin. KG, c'est sans doute pour Katell Guénan. Pourquoi vient-elle le voir tous les jours ? Mais il y a plus étrange. Regardez, là, à la date d'hier à 21 heures : « *FL. Leyde ? FL = PH ?* ».

— Qu'est-ce que cela veut dire ?

— Leyde est une ville des Pays-Bas. À part cela, je ne sais pas du tout.

— Nous chercherons plus tard. Allons voir la voisine de Yann Cornic.

Les deux policiers partent en direction de la rue Saint-Nicolas. Korrigan et Dame blanche les suivent de près.

L'ASSASSIN REVIENT TOUJOURS SUR LES LIEUX DE SON CRIME

Vendredi 19 avril. Midi.

Le commissaire Bourdon et le lieutenant Pludono sonnent au 1 de la rue Saint-Nicolas. Une dame âgée leur ouvre la porte avec un grand sourire. Elle s'appelle Jeanne Le Cam. Elle les conduit dans son salon. Jeanne est heureuse de voir un commissaire de police. C'est un peu comme *Enquête à...*, sa série[1] policière préférée à la télévision.

Jeanne propose un café aux deux policiers, mais ils refusent. Elle leur tend une boîte de galettes bretonnes.

— Ma petite-fille travaille à la Biscuiterie bretonne. C'est la meilleure de la région.

Romain Bourdon refuse. Il préfère sucer un de ses caramels. Le lieutenant Pludono attrape une galette. Jeanne laisse la boîte devant lui, alors il en prend une deuxième. Le commissaire demande :

— Vous voulez me voir pour des informations sur Katell Guénan, madame. C'est bien cela ?

— Je sais pour Yann, répond Jeanne.

— Vous savez quoi ?

— Il est mort, tué par dix coups de couteau !

Bourdon regarde son lieutenant : Pludono est trop bavard.

---

1 Une série : un film en plusieurs parties qui passe à la télévision.

– Bécherel est petit, continue Jeanne. Tout se sait très vite. Je passe beaucoup de temps devant ma fenêtre. Je suis vieille et dors peu. Les programmes[2] de la télévision ne sont pas intéressants. Sauf les séries policières. Oh, j'adore…

– Vous avez vu quoi par votre fenêtre ?

– Je vois très bien plusieurs maisons depuis ma fenêtre. Par exemple, je vois bien l'arrière de la librairie de Yann. Et… Mademoiselle Guénan vient souvent le voir.

– Elle n'a pas le droit ? demande le commissaire.

– Si, bien sûr, mais il se passe des choses étranges depuis six mois. Katell sort souvent par la porte à l'arrière de la librairie en pleine nuit. Elle porte des sacs. Je ne sais pas ce qu'il y a dedans. Yann est aussi avec elle. Mais il porte des sacs plus petits. Le pauvre n'est plus aussi fort qu'avant. Ils mettent les sacs dans la voiture de Mademoiselle Guénan. Elle se gare[3] toujours dans le chemin du Thabor, près du parking. Vous connaissez ce parking, commissaire, votre voiture y est aujourd'hui. Je la surveille depuis ce matin. Il y a parfois des voyous[4] ici, comme dans les grandes villes.

Jeanne attend un « merci » du policier, mais il ne vient pas. Elle continue :

– Les gens font ce qu'ils veulent. Ce ne sont pas mes affaires. Mais je me demande pourquoi Katell et Yann sortent toujours par l'arrière de la librairie. C'est plus pratique de se garer devant, sur la place Alexandre-Jehanin. Vous avez une idée, commissaire ?

– Non.

– Moi, si. Ils ne veulent pas être vus. Voilà la raison. Ils font peut-être quelque chose d'illégal. Je n'ai rien contre Mademoiselle Guénan, mais avec ses cheveux roux et ses vêtements noirs, elle me fait penser à une sorcière. Et ses yeux ? Ils sont gris clair,

---

2 Le programme : l'ensemble des émissions de la télévision.
3 Se garer : mettre une voiture sur une place de stationnement.
4 Un voyou : un voleur, une personne mal élevée.

presque blancs ! Quand elle me regarde, je me sens mal à l'aise.

Pludono intervient :

– Elle aide peut-être simplement Yann Cornic à transporter des livres.

– C'est toujours très tard dans la nuit, les honnêtes gens dorment à cette heure-là.

– Vous les avez vus hier soir ? demande le commissaire.

– J'ai vu Katell sortir de la librairie par le jardin, vers 2 heures du matin.

Les deux policiers échangent un regard : c'est juste deux ou trois heures après la mort de Yann Cornic.

– Vous êtes certaine ? demande Pludono. Réfléchissez bien.

Jeanne se sent soudain très importante. Elle aide la police. Son amie Madeleine, la boulangère, sera jalouse.

– Je l'ai vue comme je vous vois, dit Jeanne.

Le commissaire pose encore quelques questions puis fait un signe à Pludono. Ils en savent assez pour l'instant. Jeanne les raccompagne à sa porte. Elle est déçue qu'ils partent si vite.

Une fois dans la rue, le commissaire regarde sa montre. Il est 13 heures et il a faim.

– Franck, tu connais un bon restaurant à Bécherel ?

– Il y a une excellente crêperie. Une galette vous tente ?

– Parfait. Allons-y.

Le patron de la crêperie *Ker Jean* les accueille cinq minutes plus tard.

– Vous êtes deux, Messieurs ? J'ai une table au fond de la salle. Vous pourrez parler tranquillement. Par contre, les animaux doivent rester à l'extérieur.

Romain Bourdon ne se retourne pas et dit :

– Ces deux chats ne sont pas avec nous.

Frank Pludono choisit une galette jambon-œuf-fromage et Romain Bourdon prend la spécialité de la maison : magret de

canard, chèvre et miel. Ils commandent aussi une bouteille de cidre brut[5]. Le lieutenant demande alors à son chef :

— Que pensez-vous du témoignage de Jeanne Le Cam ?

— Il confirme ma première impression : Katell Guénan ne m'a pas tout dit.

— Vous croyez qu'elle peut être mêlée à la mort du libraire ?

— Je ne l'imagine pas enfoncer dix coups de couteau dans le ventre d'un vieil homme. En plus, ils semblaient très proches l'un de l'autre.

— Elle est peut-être vraiment une sorcière, comme dit Jeanne Le Cam. Quand elle me regarde, j'ai l'impression qu'elle lit dans mon esprit...

La phrase de Pludono fait froid dans le dos du commissaire. Lui aussi n'a pas aimé le regard de Katell Guénan.

Ils sortent de la crêperie quarante minutes plus tard. Une femme les aborde :

— Bonjour commissaire. Je suis Évelyne Brieuc, la maire de Bécherel. La mort de Yann est un grand malheur. Toute la commune[6] est bouleversée[7]. Nous allons vous aider dans votre travail. Je viens de parler avec le conseil municipal et les organisateurs de la Fête du livre. Mais nous ne changeons pas le programme. Nous allons rendre hommage[8] à Yann. J'ai téléphoné au préfet. Nous aurons besoin de plus de policiers ce week-end pour protéger la population. Il doit prendre contact avec vous.

La maire se tourne ensuite vers l'homme qui l'accompagne.

— Je vous présente Fabrice Lami. Vous le connaissez sans doute.

Fabrice est le célèbre expert de l'émission *Faites affaire*.

Le commissaire serre la main de l'expert. Fabrice Lami a un visage sympathique. Il a une cinquantaine d'années. Il porte des lunettes rondes de couleur rouge. Il est chauve et a une barbe

---

5 Du cidre brut : une boisson alcoolisée de jus de pomme.
6 La commune : la ville.
7 Être bouleversé : ressentir une très forte émotion.
8 Rendre hommage : honorer une personne par un discours, une cérémonie...

23

poivre et sel[9] avec une moustache à la Salvador Dali[10]. Romain Bourdon regarde de temps en temps son émission. Le principe est simple. Dans un premier temps, un expert donne une valeur à un objet présenté par un participant. Ensuite, le participant essaye de vendre son objet à plusieurs antiquaires[11].

Fabrice Lami dit :

— Nous enregistrons l'émission en direct de la Maison du Livre de Bécherel dimanche soir à 21 heures. Son thème est le livre. Cela va être une très belle émission et une belle publicité pour Bécherel. Mais rassurez-moi, commissaire, l'assassin du libraire est loin maintenant ?

— Je ne peux malheureusement pas vous l'assurer. L'assassin revient toujours sur les lieux de son crime, dit-on parfois.

Fabrice Lami et la maire sursautent. Le commissaire les rassure aussitôt :

— N'ayez pas peur. S'il revient, nous l'arrêterons !

---

9 Une barbe poivre et sel : une barbe avec des poils blancs et noirs.
10 Salvador Dali : l'artiste espagnol (1904-1989) portait une moustache fine dont les pointes remontaient vers les joues.
11 Un antiquaire : un professionnel qui achète et vend des objets anciens.

CHAPITRE 4

Police, ne bougez pas !

Vendredi 19 avril. 22 heures.

L e commissaire Bourdon est seul dans la librairie de Yann Cornic. L'odeur de poussière est forte et il éternue souvent. Il a renvoyé le lieutenant Pludono et ses hommes chez eux. Ils doivent se reposer, car le week-end va être long.

Lui aussi peut rentrer chez lui, le meurtrier ne reviendra pas ce soir. Mais personne ne l'attend. Sa femme est morte il y a deux ans maintenant. Romain Bourdon a toujours du mal à tourner la page. Réussira-t-il un jour à vivre sans elle ? Il prend un caramel au beurre salé dans sa poche. Ces bonbons sont presque comme un médicament. Ils le calment. Et ils sont terriblement bons !

Romain Bourdon marche au milieu des souvenirs de la victime. Les livres ne peuvent pas parler. C'est dommage, ils connaissent l'assassin. Combien y a-t-il de livres dans cette librairie ? Il est difficile de les compter. Il y en a au moins deux ou trois mille. Peut-être plus. Le commissaire n'en a aucune idée. Quand il pense aux quinze librairies de Bécherel, le nombre de livres dans cette ville lui donne le vertige[1].

Il attrape un livre et lit un paragraphe. Il s'ennuie déjà. Il prend un autre livre et finit une page entière. Il le repose. Décidément, lire n'est pas son truc[2].

---

1 Le vertige : la sensation de perdre l'équilibre, de tomber.
2 Ce n'est pas son truc : ce n'est pas quelque chose qu'il aime faire.

Qui était Yann Cornic ? Pludono et lui ont interrogé les autres libraires de Bécherel cet après-midi. Yann Cornic était un professionnel passionné[3] et compétent[4] et un homme prêt à aider les autres. Mais tous les libraires ont dit : « Il pouvait parler des heures des livres, mais il n'aimait pas parler de sa vie. »

— Dites-moi, Yann Cornic, dit tout haut Romain Bourdon, avez-vous un secret ?

Sa voix attire les deux chats. Ils se frottent contre la jambe du commissaire puis vont et viennent entre le policier et le fond de la librairie.

— Et vous, m'avez-vous choisi ? Je dois croire Katell Guénan ? Vous voulez m'aider ? Pourquoi ? J'ai un problème ?

Romain connaît son problème : il a quarante-trois ans la semaine prochaine. Parfois, il se sent déjà vieux. Que fait-il de sa vie ? Il aime la police. Il aime enquêter, suivre des suspects, interpeller des coupables, résoudre des enquêtes. Mais depuis quatre mois, à Rennes, il reste surtout derrière son bureau. Cette enquête lui fait du bien, il aime être sur le terrain. Mais quand elle sera finie, la question reviendra dans sa tête : « Ma vie se résume à cela ? ».

Pludono a raison, Katell Guénan sait lire dans les personnes. Elle est peut-être bien une sorcière.

Il s'assied derrière le bureau à l'entrée de la librairie et parle de nouveau à voix haute :

— Vous connaissiez votre assassin, Yann Cornic ?

L'un des deux chats monte sur ses genoux et lui griffe la main.

— Hé oh, doucement. Tu me protèges ou tu me fais mal ?

Le chat saute et file au fond de la librairie. C'est au tour de l'autre chat de venir lui mordiller[5] la main. Il veut les attraper et les mettre dehors. Mais les deux chats ne se laissent pas prendre.

---

3 Passionné : qui fait les choses avec un grand enthousiasme.
4 Compétent : qui connaît bien son métier.
5 Mordiller : prendre plusieurs fois entre ses dents sans faire mal.

Ils grimpent[6] tous les deux sur une armoire ancienne. Ils tournent autour d'une maquette de bateau et, d'un coup de queue, font tomber la maquette par terre. La maquette se casse en trois parties.

— Vous ne pouvez pas faire attention !

Romain ramasse les morceaux. Il trouve une petite clé. Ils regardent les deux chats :

— Vous ne l'avez pas fait exprès quand même ? C'est bien un hasard ? Vous n'allez pas parler, n'est-ce pas ? Je n'aime pas du tout ce genre de truc. Romain, calme-toi, les chats ne parlent pas. C'est un hasard.

Les deux chats miaulent en même temps et ils grimpent d'un bond sur une deuxième armoire, plus petite, collée contre un mur. Ils sautent plusieurs fois du haut de l'armoire au sol, retombent sur leurs pattes et rejoignent aussitôt le haut de l'armoire.

— Je rêve ou bien ces deux chats essayent de me faire comprendre quelque chose ?

Romain dégage plusieurs cartons pour accéder au meuble. Il ouvre les tiroirs et les portes. Elle est vide. Le policier remarque une corde attachée à un pied du meuble. Il tire sur la corde. Le meuble se déplace lentement, mais facilement. Il laisse apparaître une porte dans le mur.

— C'est votre secret, Yann Cornic ?

Romain glisse la clé dans la serrure. Il la tourne et la porte s'ouvre. Il cherche un interrupteur avec ses doigts. La pièce fait environ une trentaine de mètres carrés. Elle est meublée avec des bibliothèques remplies de livres anciens. Yann Cornic garde-t-il dans cette pièce ses plus beaux livres ? Pourquoi les cache-t-il ici ?

À gauche de l'entrée, il y a une table avec deux chaises. Un cahier est ouvert sur la table. Il contient une liste d'une centaine de livres. Le policier lit une ligne :

---

6 Grimper : monter sur quelque chose.

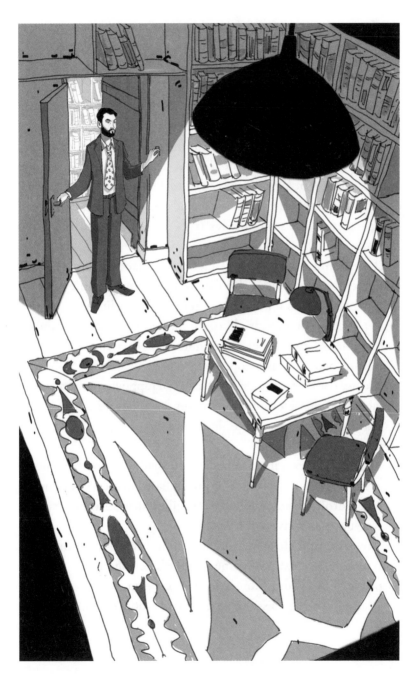

Tristan Hag Izold, 1878, bibliothèque de Brest. 1995
Certaines lignes sont complétées avec des croix vertes et des
dates récentes. Que veulent-elles dire ? Ses yeux s'arrêtent sur
deux initiales écrites de nombreuses fois : KG.
Le commissaire parcourt la pièce. Un étui noir en cuir est posé
sur une étagère. À l'intérieur, il découvre trois pages d'écriture
sur du vieux papier. Elles datent sûrement de plusieurs centaines
d'années. Les pages sont protégées par des pochettes en plastique
transparentes. Sur la première pochette, le commissaire lit : *Leyde.*
C'est le nom marqué dans l'agenda de Yann Cornic. Romain
Bourdon prend des photos des trois pages avec son téléphone
portable.

Le commissaire sort de la pièce et replace l'armoire. Il est
minuit et il se sent fatigué. Rennes est à environ quarante minutes
de Bécherel. Dans une heure, il sera dans son lit. Mais un peu
de repos avant de prendre la route lui fera du bien. Il éteint les
lumières puis s'assied quelques minutes dans l'obscurité. Il pense à
Katell Guénan. Quel rôle joue-t-elle dans cette affaire ? Ses visites
nocturnes dans cette librairie ont-elles un rapport avec cette pièce
cachée ? Pourquoi les initiales KG sur les lignes du cahier ?

La fatigue est trop forte, le commissaire ferme les yeux et
s'endort.

Un bruit le réveille à 2 heures du matin. Dame blanche et
Korrigan sont à ses pieds. L'un des chats balance sa queue de
gauche à droite. L'autre a les deux oreilles dirigées vers l'arrière.

– Que vous arrive-t-il ?

Soudain, la porte à l'arrière de la librairie grince. Romain se
souvient : elle n'est pas fermée à clé. Une silhouette[7] franchit
la porte. Elle allume une lampe torche et éclaire la pièce.
Le commissaire se baisse et se déplace en douceur pour essayer

---

7 Une silhouette : le contour d'une personne.

de cacher son mètre quatre-vingt-dix sous une table.

Il peut se lever et crier « Police, ne bougez plus ». Mais la personne a-t-elle une arme ? Il préfère attendre le bon moment. La silhouette avance dans la librairie. Se déplace-t-elle comme un homme ou une femme ? Que cherche-t-elle ? Est-ce l'assassin ? La silhouette s'approche de la cachette du policier. Elle passe à sa hauteur, fait encore trois pas puis s'arrête. Elle éteint sa lampe. L'a-t-elle vu ? Le commissaire décide de passer à l'action. Il sort de sa cachette et crie :

— Police, ne bougez pas !

Mais la silhouette réagit dans la seconde. Elle court droit devant elle. Où est-elle ? Le commissaire entend le cri d'un chat puis reçoit un grand coup sur la tête.

Je le jure sur la tombe de mon mari

Samedi 20 avril. Huit heures du matin.

– Commissaire ! Commissaire !

Le lieutenant Pludono secoue Romain Bourdon. Le commissaire ouvre les yeux.

– Hou la… j'ai mal à la tête.

– Vous avez une belle bosse. Qui vous a fait ça ?

– Je ne sais pas, j'ai juste vu une silhouette. Que fais-tu ici ?

– Je vous téléphone depuis une heure, mais vous ne répondez pas. Je vous ai cherché partout.

Le commissaire se relève avec l'aide de son lieutenant.

– Merci. J'ai besoin d'un bon café.

– Il y a un peu de sang ici. C'est le vôtre ?

Romain se passe la main sur la tête et inspecte son corps.

– Non. Un chat a griffé le voleur. Il est meilleur que moi ! Prends un échantillon et fais faire une analyse ADN. Nous tenons une piste.

Pludono confie l'échantillon de sang à un de ses hommes puis retrouve le commissaire à la terrasse du *Une page et un sucre*, le café librairie de la rue de la Chanvrerie. La Fête du livre commence dans quatre heures et la ville se prépare à recevoir des centaines de visiteurs.

Le commissaire raconte à Pludono sa découverte de la nuit. Puis, il ajoute :

– Je t'envoie les photos de ce vieux manuscrit[1] par WhatsApp.

---

1 Un manuscrit : un document écrit à la main.

Essaye de découvrir son origine. De mon côté, je vais revoir Katell Guénan dès ce matin. J'ai des questions urgentes à lui poser. Puis, je ferai un aller-retour sur Rennes pour prendre une douche et me changer. On se retrouve à Bécherel à midi.

Le commissaire se rend à la librairie de Katell Guénan. *L'Éveil* est fermée. La jeune femme habite l'appartement au-dessus de sa boutique. Il sonne à l'interphone. Mais personne ne répond. Un doute l'envahit : Katell est-elle la silhouette d'hier soir ? Est-elle la meurtrière de Yann ? S'est-elle enfuie cette nuit de Bécherel ? Il imagine déjà les barrages à mettre sur les routes, peut-être aussi la surveillance des gares et des aéroports de la région.

Il prend son téléphone quand il sent des frottements sur ses jambes. Korrigan et Dame blanche sont de retour !

– Vous m'énervez tous les deux ! Laissez-moi tranquille ! Choisissez quelqu'un d'autre. Je n'aime pas les chats. Il faut le dire combien de fois ?

Un couple de passants le regarde. Romain se sent ridicule. Il présente ses excuses, d'abord au couple, puis aux chats. Il se sent encore plus idiot ! Mais Korrigan et Dame blanche semblent avoir compris. Ils s'éloignent. Le commissaire les regarde partir. Les deux chats s'arrêtent trente mètres plus loin, puis ils tournent la tête au même moment vers le commissaire.

– Que veulent-ils maintenant ? Je dois les suivre ? Ces chats sont-ils vraiment des chats ?

Korrigan et Dame blanche repartent et le policier se met à courir derrière eux.

– Attendez-moi !

Il croise de nouveau le couple de passants. L'homme demande à sa femme : « Qui est ce fou ? ».

Les deux chats s'arrêtent sur la place de la Croix. Le commissaire les rejoint. Il pose ensuite les mains sur ses genoux

et reprend son souffle. Il se jure de commencer une activité sportive sérieuse. Puis il lève les yeux.

Katell Guénan et Fabrice Lami discutent devant l'église Notre-Dame. Les deux chats lisent-ils aussi dans son esprit ? Le commissaire est rassuré car Katell n'a pas quitté Bécherel. Il veut s'avancer pour lui parler mais décide d'observer la scène. La jeune femme écoute l'expert avec une grande attention. Se connaissent-ils ? De quoi parlent-ils ? Soudain, il se pose une question : pourquoi les chats l'ont-ils conduit ici ? Car il cherchait la libraire ou bien pour lui montrer la silhouette de la nuit dernière ?

Il chasse la question de son esprit, les chats ne peuvent pas être aussi intelligents ! Pourtant, il décide de changer ses plans. Il veut vérifier un détail avant de parler à Katell Guénan.

Il se rend rue Saint-Nicolas et sonne chez Jeanne Le Cam.

– Commissaire, vous êtes bien matinal. Je peux vous offrir un café ?

– Non merci. Excusez-moi de vous déranger, mais...

– Cela fait plaisir de vous voir. Ne restez pas devant la porte, entrez !

Le commissaire suit Jeanne Le Cam dans son salon et s'assied dans le canapé.

– Avez-vous vu quelqu'un sortir de la librairie de Yann Cornic cette nuit ?

– Non. J'ai dormi comme un bébé, de 10 heures du soir à 7 heures du matin.

Ce n'est pas de chance, pense le commissaire.

– Vous avez un problème ? Je vais vous faire un café.

Le commissaire ne refuse pas cette fois. Il a besoin de mettre de l'ordre dans ses idées. Jeanne revient cinq minutes plus tard avec une tasse.

– Elles sont extraordinaires ces machines à café avec leurs petites capsules. Par contre, je n'aime pas l'acteur américain qui fait la publicité.

Le commissaire boit son café et se lève :

— Ce café est très bon. Je vais vous laisser, maintenant.

— Au fait, je me souviens de deux détails, dit Jeanne. Premièrement, Katell Guénan n'avait pas de sac quand elle est sortie de la librairie jeudi à 2 heures du matin. Deuxièmement, elle est montée dans une autre voiture.

— Que voulez-vous dire ?

— Souvent, je la vois porter des sacs et les mettre dans sa voiture, une petite voiture rouge. Mais, la nuit du crime, elle n'avait pas de sac et elle est partie dans une voiture blanche.

— Quelle marque ?

— Je ne sais pas. Mais une grande voiture. Venez voir.

Jeanne entraîne Romain dans sa chambre. Elle lui montre le parking du chemin du Thabor par la fenêtre.

— Une voiture comme celle garée près de la vôtre.

— Katell Guénan est montée dans cette voiture ?

— Ça, je ne sais pas. Mais une voiture de cette couleur et de cette taille : une grande voiture blanche.

— Et c'était bien Katell ?

Jeanne n'est pas très sûre. La nuit était sombre. Mais, dans les séries, les commissaires n'aiment pas les réponses imprécises. Alors, Jeanne répond :

— C'était Katell ! Je le jure [2] sur la tombe de mon mari !

Le commissaire remercie Jeanne pour le café et les informations. Il se dirige ensuite vers *L'Éveil*, la librairie de Katell Guénan. La jeune femme est en train de disposer des livres sur une table devant la vitrine de sa boutique.

— Bonjour Mademoiselle Guénan.

— Bonjour commissaire.

— Comment allez-vous ?

---

2 Jurer : assurer avec force que ce qu'on dit est vrai.

– Je ne sais pas. Je ne réalise pas encore la mort de Yann. La Fête du livre va m'aider à tenir pendant trois jours. Mais ensuite…

– Vous parliez de quoi avec Fabrice Lami tout à l'heure place de la Croix ?

La question surprend la jeune femme.

– Pourquoi voulez-vous le savoir ? Vous me surveillez ?

– Non. Ce sont les deux chats de Yann Cornic qui… enfin, vous parliez bien avec lui ?

– Oui.

– Il voulait quoi ?

– Je vais proposer un livre demain dans son émission. Il est venu à la librairie pour en parler. Ensuite, nous sommes allés ensemble jusqu'à la boulangerie. J'avais envie de m'acheter un pain au chocolat. Mes explications vous conviennent-elles ?

– Il vous a parlé de Yann Cornic ?

– Bien sûr. Yann était un collectionneur de livres anciens très connu. Fabrice Lami m'a posé des questions sur sa librairie. Je lui ai raconté que Yann regardait toujours ses émissions. Mais je ne lui ai pas dit qu'il se moquait de ses expertises…

La jeune femme rentre dans sa librairie. Le commissaire l'observe. A-t-elle la même démarche que la silhouette de cette nuit ? A-t-elle la force de l'assommer ?

– J'ai découvert une pièce cachée dans la librairie de Yann Cornic, dit-il. Vous la connaissez ?

Katell hésite à mentir, mais le commissaire continue :

– Vos initiales se trouvent dans un cahier avec une liste de livres.

– Yann avait l'habitude d'utiliser les initiales à la place des noms, dit Katell. Comment avez-vous fait pour trouver cette pièce ?

Le commissaire ne veut pas parler à nouveau des chats :

– C'est grâce à mon expérience de policier. Vous ne m'avez pas parlé de cette pièce. Pourquoi ?

– Car ce sont des livres volés.

CHAPITRE 6

LA GRANDE VOITURE BLANCHE

Samedi 20 avril. 9 heures du matin.

Katell Guénan explique au commissaire la présence des livres volés dans la pièce secrète de la librairie de Yann Cornic.

— Yann était un amoureux des livres depuis ses vingt ans. Il volait des livres dans les bibliothèques, les librairies et les musées, principalement en Bretagne. Mais Yann était un voleur particulier. Car il ne volait pas pour vendre. Il ne le faisait pas pour l'argent. Il aimait simplement avoir ces livres et les admirer quand il voulait. Il volait des livres par amour.

— Cela ne l'excuse pas, dit le commissaire. C'est du vol.

— Je sais. Et Yann le savait aussi. Il avait honte parfois. Il m'a montré cette pièce secrète il y a six mois, juste après la mort de sa femme. Elle n'était pas au courant de cette vie secrète de son mari. Yann m'a dit : « J'ai fait une erreur. Je dois les rendre. » C'est pourquoi, depuis, je l'aide à rendre les livres à leurs propriétaires.

Le commissaire comprend alors les visites nocturnes de Katell à la librairie.

— Cela explique vos sorties par la porte arrière de la librairie, en pleine nuit, avec des sacs.

— Comment le savez-vous ? Ah, c'est Jeanne, la commère[1] ! Elle nous voit de sa fenêtre. Elle ne m'aime pas beaucoup, elle m'appelle la sorcière ! Elle est jalouse en fait. Yann et

---

1 Une commère : une personne qui raconte facilement la vie des autres.

elle ont été amoureux il y a très longtemps. Je crois que Jeanne rêve encore de cette histoire. Mais je l'excuse. Ce n'est pas drôle de rester toute sa vie célibataire.

— Jeanne Le Cam est célibataire ?

Le commissaire entend encore Jeanne lui dire : « C'était Katell ! Je le jure sur la tombe de mon mari ». Mais Jeanne n'a pas de mari ! Son témoignage[2] est donc à prendre avec des pincettes[3]. Jeanne n'a peut-être pas vu Katell sortir de la librairie dans la nuit de jeudi à vendredi.

— Vous avez mis des livres dans une voiture la nuit du meurtre de Yann Cornic ?

— Non.

— Jeanne a vu une silhouette sortir de la librairie à deux heures du matin et monter dans une voiture blanche.

— Ce n'était pas moi.

Le commissaire veut bien la croire, mais Katell est pour l'instant la suspecte[4] numéro un.

— Je vais devoir fouiller votre librairie et votre domicile, dit Romain Bourdon.

— Pourquoi ? Vous me prenez pour la meurtrière de Yann ?

— Je suis désolé, mais c'est la procédure[5]. Je dois le faire.

— Je ne peux pas fermer la librairie pendant la Fête du livre !

— Nous allons commencer le plus vite possible. Dans deux heures, tout sera fini.

Romain Bourdon et trois autres policiers commencent la fouille de l'appartement vingt minutes plus tard. Mais ils ne trouvent rien. Ils continuent par la librairie. Au bout de trois quarts d'heure, Katell interpelle Romain :

---

2 Un témoignage : le récit d'une personne sur ce qu'elle a vu ou vécu.
3 Prendre avec des pincettes : ne pas croire sans vérifier.
4 Une suspecte : une personne qui peut avoir commis un crime ou un vol.
5 Une procédure : l'ensemble des actions à faire pour mener une enquête.

– Vous en avez encore pour longtemps ? Je dois préparer ma boutique.

– C'est bientôt fini. Après, vous…

À ce moment-là, l'un des policiers l'appelle du fond de la librairie :

– Commissaire, j'ai trouvé quelque chose.

Le commissaire et la jeune libraire se précipitent. Le policier pointe un objet dans un carton rempli de vieux papiers : c'est un couteau. La lame est rouge de sang.

– Qu'est-ce que c'est que ça ? dit la jeune femme.

– Vous connaissez ce couteau ? lui demande le commissaire.

– Mais non ! Que fait-il là ?

– Nous allons l'emporter et faire analyser le sang. S'il s'agit du sang de Yann, vous devrez expliquer la présence de ce couteau dans votre librairie.

La jeune femme se défend :

– Commissaire, réfléchissez. Un meurtrier garde-t-il l'arme de son crime chez lui, dans un simple carton ?

– Je vois de tout dans mon métier.

– Vous me croyez coupable ?

– Le problème n'est pas ce que je crois. Il n'est pas là par hasard. Seuls les faits comptent. Vous pouvez garder votre librairie ouverte, mais un policier restera avec vous jusqu'au résultat de l'analyse.

– Il y a sûrement une explication, dit Katell. Yann était mon ami. Je ne l'ai pas tué.

– Dans ce cas, ce n'est pas la peine de vous inquiéter.

Romain Bourdon rentre à Rennes en voiture. Il éternue plusieurs fois pendant le trajet avant d'ouvrir la fenêtre en grand. Il dépose le couteau au laboratoire d'analyses puis rentre chez lui. Lorsqu'il gare sa voiture, il entend des miaulements. Il soulève la vieille couverture posée sur la banquette arrière.

Korrigan et Dame blanche sont cachés en dessous.

– Qu'est-ce que vous faites là ?, s'énerve-t-il.

Les deux chats sortent du véhicule et filent vers la porte de l'immeuble. Ils suivent le commissaire et entrent dans son appartement. Après sa douche, Romain Bourdon s'installe sur son canapé, face aux deux chats :

– Alors, vous êtes qui ? Vous êtes des chats intelligents ? Vous êtes la réincarnation du commissaire Maigret[6] ? Dans ce cas, dites-moi : ce couteau est bien l'arme du crime ? Katell Guénan est-elle la coupable ?

Le commissaire attend plusieurs minutes. Mais les chats ne répondent pas. Korrigan saute sur le meuble de la télévision et Dame blanche renifle la télécommande.

– Vous voyez, vous ne savez rien. Allez, en voiture, je vous ramène à Bécherel. Et je vais vous trouver un nouveau maître ou vous donner à la SPA[7].

À Bécherel, la Fête du livre vient de commencer. Les amoureux des livres se pressent[8] dans les librairies et sur les stands dans les rues. Une troupe de théâtre anime le centre-ville avec son spectacle *À livre ouvert*.

Il y a aussi du monde à la Maison du Livre. De grands panneaux affichent le programme de ces trois journées : rencontres avec des auteurs, conférences, dédicaces[9]… Le programme est riche et varié. Dans la grande salle, une auteure lit des extraits de son nouveau roman.

Le commissaire aperçoit Fabrice Lami. Il a soudain une idée : l'expert connaît peut-être le manuscrit trouvé chez Yann Cornic.

---

6 Maigret : un commissaire d'une série policière très connue.

7 SPA : Société Protectrice des Animaux.

8 Se presser : ici, être nombreux.

9 Une dédicace : la signature de son livre par un auteur.

Il s'approche de lui. L'animateur est occupé à recoller un sparadrap sur son cou.

— Bonjour Monsieur Lami, votre émission se prépare bien ?

— Bonjour commissaire. Nous réglons les derniers détails. Cela va être un grand moment pour Bécherel, je suis très heureux.

— Vous connaissiez Yann Cornic ?

— C'est le libraire assassiné ? Je connaissais son nom, mais je ne le connaissais pas personnellement[10].

— J'ai besoin de votre savoir d'expert. Vous pouvez m'accompagner dans sa librairie ?

— Avec plaisir, je vous suis.

Les rues de Bécherel sont animées. Un joueur de bombarde[11] et un joueur de biniou[11] mettent de l'ambiance dans la vieille ville. Lorsqu'ils arrivent à l'angle de la place Alexandre-Jehanin et du chemin du Thabor, Fabrice Lami demande :

— Ma voiture est garée sur le parking juste à côté. Cela vous ennuie si je vais chercher un pull à l'intérieur ?

— Pas du tout. Je vous attends.

Fabrice Lami se dirige vers le parking. Le commissaire attrape dans sa poche son dernier caramel mou au beurre salé. Il en a d'autres dans sa voiture. Il décide d'aller les chercher.

Quand il arrive près de sa voiture, Fabrice Lami est en train de fermer la porte de sa grande voiture blanche.

---

10 Connaître personnellement : avoir déjà rencontré.
11 Une bombarde et un biniou : instruments de musique bretonne.

CHAPITRE **7**

FL. LEYDE ? FL = PH ?

Samedi 20 avril. 14 heures 15.

L e commissaire Romain Bourdon admire la grande voiture blanche de Fabrice Lami.

– Elle est toute neuve ? demande-t-il.

– Je l'ai depuis quinze jours. Je me suis fait un beau cadeau. C'est le dernier modèle électrique de la marque Tesla. C'est l'avenir ! Vous roulez encore au super ?

– Ma voiture roule au diesel[1].

– Pouah ! Changez commissaire. Il faut penser à l'environnement.

– Je ne peux pas m'acheter une telle voiture, je ne travaille pas à la télévision.

Fabrice Lami rit et dit :

– Cette voiture est chère en effet. Tout le monde ne peut pas l'acheter. Je suis même peut-être le seul à conduire ce modèle dans la région.

Le commissaire lève la tête et regarde la fenêtre de Jeanne Le Cam. Jeanne a-t-elle vu cette voiture dans la nuit de jeudi ? Katell Guénan est-elle montée dans la voiture de Fabrice Lami ?

Les deux hommes quittent le parking.

– La librairie est encore loin ? demande Fabrice Lami. Comment s'appelle-t-elle ?

– Nous arrivons, c'est…

---

1 Super et diesel : carburants issus du pétrole utilisés pour alimenter les moteurs des voitures.

Le commissaire ne termine pas sa phrase, car son téléphone sonne. Il s'arrête et répond. C'est Pludono. La communication est mauvaise. Romain Bourdon ne comprend rien aux explications de son collègue. Il remet le téléphone dans sa poche. Fabrice Lami est déjà en haut des marches du grand escalier en pierre. Il l'attend devant la porte de la librairie *Ya d'ar Brezhoneg* de Yann Cornic. Le commissaire est surpris. Il y a trois autres librairies sur la place. Pourquoi l'attend-il devant la bonne librairie ?

Le commissaire Romain Bourdon rejoint Fabrice Lami devant la librairie de Yann Cornic.

– Deux chats ne veulent pas nous laisser entrer, dit l'expert.

Korrigan et Dame blanche font le dos rond et poussent de petits cris aigus. L'expert fait de grands mouvements de bras pour les chasser. Mais ils ne bougent pas. Romain Bourdon les écarte doucement avec les mains.

– Vous n'aimez pas les animaux ? demande le policier.

– Ces deux-là sont agressifs. Ils sont à vous ?

– Ce sont les chats de Yann Cornic.

Les deux hommes entrent dans la librairie.

– Alors que puis-je faire pour vous, commissaire ?

– C'est à propos d'un vieux manuscrit.

Mais il est de nouveau interrompu par son téléphone. C'est encore Pludono. Cette fois-ci, la communication est bonne. Il fait signe à Fabrice Lami de patienter.

– Bonjour Commissaire, je suis à Rennes avec un collègue de l'OCBC [2]. Le manuscrit de Leyde est le plus vieux texte en langue bretonne. Il date de l'an 800. C'est un texte de quatre pages. Il se trouve dans la bibliothèque de l'université de Leyde au Pays-Bas. Je vous envoie une photo de la première page sur WhatsApp.

Le commissaire regarde l'écran de son téléphone. Il ne reconnaît

---

2 OCBC : Office central de lutte contre le trafic de biens culturels.

pas les pages trouvées chez Yann Cornic. Le lieutenant continue :

– En 2001, un collectionneur a découvert trois autres pages de ce manuscrit. Cette fois-ci, elles sont écrites entièrement en langue bretonne. C'est une immense découverte. Le plus grand expert de l'époque, Patrice Houldo, étudie ces pages pendant six mois et les déclare authentiques. Il s'occupe également de la vente des trois pages à un riche Japonais pour trois millions d'euros. L'expert devient alors très célèbre.

Fabrice Lami fait un signe de la main au commissaire et désigne sa montre. Il ne peut pas rester très longtemps. Mais le commissaire continue d'écouter son lieutenant :

– Dix jours après la vente, le scandale éclate : les pages sont fausses ! C'est le collectionneur anonyme qui est le faussaire[3]. Il envoie lui-même les preuves à tous les journaux ! Il rend l'argent à l'acheteur japonais et récupère le manuscrit. Il explique à l'époque que son but n'est pas de voler de l'argent, mais de se moquer des mauvais experts en art ! Aujourd'hui, on ne connaît toujours pas son identité. Je vous envoie maintenant une photo des trois pages.

Le commissaire regarde à nouveau l'écran de son téléphone. Et là, il a un choc : ce sont exactement les trois pages qui se trouvent chez Yann Cornic ! Yann Cornic, libraire tranquille de Bécherel, était-il un faussaire génial[4] et un grand voleur de livres anciens ? Pludono continue son histoire :

– Avec ce scandale, l'expert Patrice Houldo devient la risée de la profession[5]. Sa carrière est finie. Il disparaît à l'étranger. Avez-vous remarqué, commissaire ? Les initiales de Patrice Houldo sont PH. Vous vous souvenez de l'agenda ?

Bien sûr qu'il se souvient : « *FL. Leyde ? FL = PH ?* »

---

3 Un faussaire : une personne qui réalise un faux document.
4 Génial : qui est excellent dans son domaine.
5 Devenir la risée de la profession : être moqué par tous les gens du même métier.

Romain Bourdon imagine le vieux libraire noter cette étrange formule dans son agenda et parler tout seul : « FL vient me voir jeudi soir, à 21 heures. Vient-il parler du manuscrit de Leyde ? FL est-il Patrice Houldo ? »

Pour la première fois, le commissaire pense aux initiales de l'expert : FL. Est-ce encore un hasard ? Les images de la grande voiture blanche, du sparadrap dans le cou et du manuscrit reviennent dans sa tête. Il observe Fabrice Lami déambuler dans la librairie : peut-il être la silhouette de la nuit ? Korrigan ou Dame blanche l'ont-ils griffé ? Fabrice Lami a-t-il tué Yann Cornic ?

– Vous êtes encore là, commissaire ? dit Pludono au téléphone.

– Oui, oui.

– Ah, je ne vous entendais plus. J'ai une photo de Patrice Houldo en 2001. Je vous l'envoie.

La photo de Pludono s'affiche après quelques secondes sur l'écran du commissaire. L'homme a de longs cheveux noirs coiffés avec soin. Le commissaire l'imagine avec vingt ans de plus. Il cherche une ressemblance avec Fabrice Lami, mais ne la trouve pas.

Le commissaire met fin à sa conversation avec Pludono. Si Fabrice Lami est FL, il ne peut pas lui montrer le faux manuscrit de Leyde. Il doit inventer une excuse :

– Je dois retourner à Rennes pour une urgence, dit Romain Bourdon à Fabrice Lami.

Fabrice Lami sent tout de suite le danger.

Le commissaire lui ment. Qu'a appris le policier pendant cette longue conversation téléphonique ? Il réfléchit rapidement : le commissaire n'a sûrement pas de preuve contre lui. Il a pris soin de mettre le couteau ce matin dans la librairie de Katell Guénan. Il doit rester calme. Il va faire l'émission demain puis quitter Bécherel. Il reviendra plus tard, quand la ville sera de nouveau calme. Il trouvera le manuscrit, car il en est sûr, le faux manuscrit de Leyde est ici, dans cette librairie. Il le trouvera et il le détruira.

Le commissaire propose de quitter la librairie par la porte de derrière. Avec de la chance, Jeanne est derrière sa fenêtre. Les deux hommes se donnent rendez-vous le lendemain pour l'enregistrement de l'émission *Faites affaire*.

Fabrice Lami s'éloigne et Romain Bourdon regarde la fenêtre de Jeanne. La vieille dame est là. Il se précipite chez elle. Jeanne l'accueille avec un grand sourire :

– C'était Fabrice Lami n'est-ce pas ? dit la vieille dame. Oh, il est merveilleux avec ses lunettes et sa moustache ! Je l'aime beaucoup, il…

Le commissaire l'arrête :

– Jeanne, réfléchissez bien et dites-moi : jeudi soir, la silhouette, c'était Katell Guénan ou Fabrice Lami ? C'est très important.

Jeanne réfléchit. Dans certaines séries policières, les faux témoignages sont punis. Elle aime bien Fabrice Lami, mais elle ne veut pas mentir :

– C'était sûrement Fabrice Lami.

Puis elle ajoute :

– L'émission aura quand même lieu demain soir ?

CHAPITRE 8

VOUS ÊTES ARRIVÉS À DESTINATION

Dimanche 21 avril. 21 heures 30.

L'émission *Faites affaire* est un succès. La grande salle de la Maison du Livre de Bécherel est pleine de spectateurs enthousiastes[1]. La présentatrice, Julie Duchais, et l'expert Fabrice Lami sont installés derrière une grande table et font face au public. Julie Duchais annonce le participant suivant :

— Nous accueillons maintenant Katell Guénan.

Le public applaudit, mais c'est un homme qui s'avance. Julie Duchais regarde ses fiches et ne comprend pas. Fabrice Lami, lui, devient blanc.

— Il y a sans doute une erreur, dit-elle tout haut.

Mais la présentatrice reçoit des instructions dans son oreille.

—Très bien, on me dit que tout est sous contrôle, nous sommes donc ravis d'accueillir... Pouvez-vous nous dire votre nom, Monsieur ?

— Romain Bourdon.

— Et que faites-vous dans la vie, Monsieur Bourdon ?

— Je suis commissaire de police.

L'animatrice et le public poussent un « oh ».

— Vous n'êtes pas là pour nous arrêter, s'amuse la présentatrice.

Elle se tourne vers Fabrice Lami et lui dit avec un grand sourire :

— Fabrice, vous n'avez rien à vous reprocher ?

---

1 Enthousiaste : joyeux.

— Moi rien, mais vous, ma chère Julie ?

Le public rit et applaudit. L'animatrice demande à Romain Bourdon :

— Avec quel livre êtes-vous venu, commissaire ?

Le lieutenant Pludono s'approche et donne à son chef un étui noir en cuir. Le commissaire en sort le faux manuscrit de Leyde. Il le pose sur la table devant l'expert.

— Oh, réagit Julie Duchais, vous apportez un document très spécial, n'est-ce pas Fabrice ? Qu'en pensez-vous ?

Fabrice Lami n'entend pas la question. Le choc est trop important. Il reconnaît tout de suite les trois pages. Elles sont magnifiques et, pourtant, elles sont maudites. Elles sont responsables de sa chute. Leur auteur, Yann Cornic, est responsable de sa chute.

Julie Duchais se rend compte du malaise[2] de l'expert.

— Fabrice, lui dit-elle, vous êtes toujours avec nous ?

Non. Fabrice Lami n'est plus avec eux. Ses pensées le ramènent trois jours plus tôt dans la librairie de Yann Cornic. Il est 23 heures et il parle, enfin, avec l'homme qui a brisé sa vie[3]. Yann Cornic avoue : « Oui, je suis le faussaire. Je suis fier de mon faux manuscrit. Mais, honnêtement, je suis désolé de ce qui vous est arrivé ensuite. » Le libraire lui tend la main. Fabrice Lami ne veut pas oublier le passé et faire la paix. Les trois pages de Leyde étaient le plus grand coup de sa carrière. Mais, après le scandale de leur vente, personne n'a voulu travailler avec lui. Il a tout perdu. Il a dû partir à l'étranger. Quand il est revenu en France plusieurs années plus tard, il avait un seul but : retrouver le faussaire et lui faire payer ! Alors, Fabrice Lami ne serre pas la main de Yann Cornic et lui demande : « Vous avez toujours les trois pages, n'est-ce pas ? Je peux les voir ? » La réponse du libraire lui fait très mal : « Non. » Alors, Fabrice Lami devient fou. Il enfonce

---

2 Un malaise : une sensation très désagréable.
3 Briser une vie : casser une vie, la rendre impossible à vivre.

son couteau dans le ventre du vieil homme. Puis encore une fois, deux, trois… Quand il s'arrête, il n'est pas soulagé. Le faussaire est mort, mais il veut retrouver le manuscrit et le détruire. Il cherche partout pendant trois heures sans succès puis quitte la librairie par la porte de derrière. Il reviendra.

Julie Duchais pose plusieurs questions à Fabrice Lami. Mais celui-ci ne répond pas. Elle ne sait pas comment continuer l'émission. Heureusement, c'est la publicité.

— Fabrice, que t'arrive-t-il ? demande la présentatrice.

Mais Fabrice reste toujours silencieux.

— Patrice Houldo, dit alors le commissaire, je vous arrête pour le meurtre de Yann Cornic.

— Vous ne pouvez pas, se défend l'expert. Vous n'avez aucune preuve contre moi.

— Une simple analyse de votre sang prouvera que vous m'avez assommé dans la nuit de vendredi à samedi dans la librairie de Yann Cornic. Je vous avais prévenu : l'assassin revient toujours sur les lieux du crime.

Fabrice Lami réagit aussitôt. Il attrape le manuscrit, renverse la table et fonce droit vers le public. Tous les spectateurs hurlent et se lèvent. Quelques secondes plus tard, Fabrice Lami est dehors. Il court dans la rue de la Libération en direction du parking du chemin du Thabor. Il monte dans sa voiture et jette le manuscrit sur le siège avant. Il quitte le parking à grande vitesse et s'engage dans les rues de la vieille ville. Il tourne à gauche, puis à droite et cherche la sortie. Son GPS n'a pas le temps de suivre :

— Prenez la prochaine à droite… tournez à gauche… Au rond-point, prenez la première sortie…

Fabrice Lami accélère encore. Devant lui, à quarante mètres, trois policiers l'attendent, leurs armes pointées sur son véhicule. Le fuyard[4] donne un grand coup de volant sur la gauche. Il reconnaît

---

4 Un fuyard : une personne qui quitte un endroit pour échapper à un danger.

le chemin. La maire de Bécherel lui a montré le vieux lavoir[5] du xixe siècle, classé monument historique. Le chemin débouche sur la route départementale D27 en direction de Rennes. Il va pouvoir semer les policiers.

Lorsqu'il passe devant le lavoir, deux chats bondissent sur la vitre avant de la voiture. Surpris, Fabrice Lami ferme les yeux et donne un coup de volant. Il perd le contrôle. Sa voiture fonce tout droit, percute[6] un pilier en bois du lavoir et termine sa course dans l'eau du bassin. Le choc est terrible.

—Vous êtes arrivés à destination, dit la voix du GPS.

Cinq minutes plus tard, Korrigan et Dame blanche assistent à l'arrestation de Fabrice Lami depuis le toit de la maison d'en face.

---

5 Un lavoir : un bassin rempli d'eau dans lequel on lavait le linge autrefois.
6 Percuter : entrer en contact violemment avec quelque chose.

ÉPILOGUE

Samedi 26 octobre. 20 heures 30.

Le commissaire Romain Bourdon gare sa voiture sur le parking situé à l'extrémité du chemin du Thabor. Il sort de sa voiture et dit :
— Allez hop, les chats, allez vous promener. On se retrouve chez Katell.

Korrigan et Dame blanche filent. Le commissaire prend un caramel au beurre salé et ferme sa veste. La soirée est froide, mais il ne pleut pas.

Katell l'accueille avec le sourire dans la librairie *Ya d'ar Brezhoneg*. Dans la poche de sa veste, elle aperçoit la couverture du livre *Osez changer de vie*. Le commissaire prend son avenir en main.

La jeune libraire est l'héritière de la librairie et des livres de Yann Cornic. Que va-t-elle en faire ? Elle ne le sait pas encore. Mais elle a une mission à finir. Et Romain Bourdon a accepté de l'aider.

Katell attrape une petite clé dans une maquette de bateau. Elle déplace l'armoire au fond de la librairie avec l'aide de Romain et met la clé dans la serrure de la porte dans le mur. La pièce est restée secrète. Le commissaire Bourdon ne l'a pas mentionnée dans son rapport d'enquête. Ils sont donc quatre à connaître son existence : Katell, Romain, Korrigan et Dame blanche. Personne ne parlera.

Vers minuit, Katell et Romain sortent par la porte arrière de la librairie. Ils portent chacun deux sacs. Ils lèvent en même temps la tête vers la fenêtre de Jeanne Le Cam et font un signe de la main. Jeanne se cache vite derrière son rideau. Puis elle jette de

nouveau un œil [1] par la fenêtre. Elle aperçoit Korrigan et Dame blanche derrière le commissaire et Katell. Jeanne croit voir les chats lui adresser un signe de la patte. Mais la nuit est sombre, elle doit imaginer des choses.

Les quatre compères montent dans la petite voiture rouge de Katell. Ils ont environ deux heures quinze de route. Cette nuit, vingt livres vont retrouver leur propriétaire : le Musée départemental breton de Quimper.

---

1 Jeter un œil : regarder rapidement.

Activités

1 **Lisez le chapitre. Avez-vous bien compris ? Choisissez la réponse qui convient.**

1. Romain Bourdon :
- ☐ **a.** habite à Bécherel.
- ☐ **b.** est commissaire de police.
- ☐ **c.** travaille dans une librairie.

2. Yann Cornic :
- ☐ **a.** habite en Bretagne depuis cinq ans.
- ☐ **b.** est marié avec Katell Guénan.
- ☐ **c.** habite au-dessus de sa librairie.

3. Franck Ploudono :
- ☐ **a.** travaille dans la police.
- ☐ **b.** a découvert le corps de Yann Cornic.
- ☐ **c.** n'aime pas lire.

4. Katell Guénan :
- ☐ **a.** a découvert le corps à minuit.
- ☐ **b.** est libraire à Bécherel.
- ☐ **c.** aime les caramels mous.

5. Bécherel :
- ☐ **a.** est une ville sans charme.
- ☐ **b.** est située en Bretagne.
- ☐ **c.** compte trois librairies.

2 🔘 piste 1 → **Écoutez le chapitre 1. Soulignez la forme correcte.**

La victime / Le coupable s'appelle Yann Cornic, un *libraire / policier* de soixante-quatorze ans, spécialiste des livres *récents / anciens*. Il est aussi un grand défenseur de la langue *bretonne / française*. Il est originaire de Brest et vit à Bécherel depuis *cinq / soixante* ans. Il habite *au-dessus / en dessous* de sa librairie. Il est veuf, sa femme est morte *l'année dernière / le mois dernier* d'un cancer. Il n'a pas d'enfant. D'après les premières observations, il est mort de dix coups de couteau dans le *cœur / ventre*. L'heure du *décès / départ* est entre 23 heures et minuit. Katell Guénan, une libraire de Bécherel, a c*aché / découvert* le corps vers 7 heures du matin.

3 **Lisez le chapitre. Qui fait quoi ? Associez.**

a. Il accueille le commissaire dans la librairie.

b. Il tend un mouchoir.

c. Il éternue car il est allergique.

1. Bourdon   d. Il explique sa version des faits.

2. Pludono   e. Il va interroger les voisins.

f. Il ne croit pas au hasard.

g. Il se moque gentiment de son chef.

h. Il gare sa voiture sur un parking.

4 **Conjuguez les verbes à l'impératif.**

1. (Laisser – 2ᵉ pers. plur.) .... passer le commissaire.

2. (Arrêter – 2ᵉ pers. sing.) .... de m'appeler comme cela.

3. (Trouver – 1ʳᵉ pers. plur.) .... le coupable.

4. (Interroger – 2ᵉ pers. sing.) .... les voisins.

5. (Lire – 2ᵉ pers. sing.) .... ce livre.

6. (Prendre – 2ᵉ pers. plur.) .... la troisième rue à gauche.

5 **Pourquoi le commissaire demande s'il y a des chats dans la librairie ?**

....

....

6 **À votre avis, pourquoi le commissaire Bourdon veut découvrir en premier la ville de son enquête ?**

....

....

....

1 🔘 piste 2 → **Écoutez le chapitre. Vrai ou faux ? Cochez la bonne réponse. Justifiez lorsque vous pensez que c'est faux.**

	Vrai	Faux
1. Katell Guénan est très triste de la mort de Yann Cornic.	☐	☐
2. On peut acheter tous les genres de livres dans la librairie de Katell.	☐	☐
3. Katell ne connaissait pas bien Yann et sa femme.	☐	☐
4. Katell aidait Yann à bien commencer sa journée.	☐	☐
5. Bourdon pense que Katell n'a pas tout dit.	☐	☐
6. Korrigan et Dame blanche sont les chats de Katell.	☐	☐

Justification :

....

....

2 **Lisez le chapitre 2. Avez-vous bien compris ? Choisissez la réponse qui convient**

1. Comment se sent Katell Guénan ?
☐ **a.** En pleine forme.
☐ **b.** Très mal.

2. Combien de temps dure la Fête du livre ?
☐ **a.** Trois jours.
☐ **b.** Une semaine.

3. Pourquoi Katell pleure-t-elle souvent ?
☐ **a.** Elle était très proche de Yann Cornic.
☐ **b.** Elle est allergique aux poils de chat.

4. Que transmettent les chats d'après Katell ?
☐ **a.** Des maladies.
☐ **b.** Des ondes positives.

5. Qui les deux policiers vont-ils voir rue Saint-Nicolas ?
☐ **a.** Une voisine de Yann Cornic.
☐ **b.** Le propriétaire de l'agenda.

3 Observez les mots soulignés. Écrivez le contraire des adjectifs.

1. En 1989, Bécherel est devenue la dernière Cité du livre en France.

→ ....

2. La librairie de Katell est ordinaire. → ....

3. Les chats transmettent des énergies négatives. → ....

4. Yann Cornic avait une santé solide. → ....

5. Les Cornic étaient des gens ordinaires. → ....

6. La vieille libraire ne dit pas tout. → ....

4 Complétez les phrases avec le bon pronom COD ou COI.

1. Le commissaire prend le livre. → Il le prend.

2. La libraire tient une tasse de thé.

→ Elle .... tient.

3. Le commissaire écarte les chats.

→ Il .... écarte..

4. Romain demande à Katell comment elle va.

→ Il .... demande comment elle va.

5. La voisine de Yann ne parle pas aux autres policiers.

→ Elle ne .... parle pas.

6. Les chats suivent les policiers.

→ Ils .... suivent.

5 Pourquoi le commissaire est-il nerveux quand il sort de la librairie ?

....

....

6 À votre avis, les libraires prennent-ils les non-lecteurs pour des idiots ?

....

....

1 🔘 piste 3 → **Écoutez le chapitre. Vrai ou faux ? Cochez la réponse qui convient. Justifiez lorsque vous pensez que c'est faux.**

	Vrai	Faux
1. Jeanne Le Cam passe beaucoup de temps devant sa fenêtre.	☐	☐
2. La nuit, Yann et Katell sortent par le devant de la librairie.	☐	☐
3. Le regard de Katell Guénan impressionne les deux policiers.	☐	☐
4. Fabrice Lami est le maire de Bécherel.	☐	☐
5. L'émission *Faites affaire* n'a pas lieu à cause de la mort de Yann.	☐	☐

Justification :

....

....

2 **Lisez le chapitre. Complétez le témoignage de Jeanne avec les mots suivants :**

porte - affaires - fenêtre - pourquoi - sacs - matin - illégal - parking - programmes - voiture.

Le soir, je passe du temps devant ma .... Les .... de la télévision ne sont pas intéressants. Je vois Katell et Yann sortir par la .... à l'arrière de la librairie. Ils portent des .... Ils les mettent dans la .... de Katell. Elle est toujours près du .... ? Je ne sais pas. Hier, je les ais vus à 2 heures du .... Peut-être font-ils quelque chose d'........................ ? Mais ce ne sont pas mes ....

3 **Complétez la grille avec des mots du chapitre. Retrouvez le mot qui se cache verticalement.**

1. Pludono adore la « jambon-œuf-fromage » de cette spécialité bretonne.
2. Quand elle ouvre sa porte, Jeanne en a un grand sur son visage.
3. C'est la couleur des yeux de Katell.
4. La Fête du livre est l'occasion d'en rendre un grand à Yann Cornic.
5. Avec la sienne, Fabrice Lami ressemble à Salvador Dali.
6. Quand elles sont policières, Jeanne les regarde à la télévision.
7. Cette boisson à base de pommes est une spécialité bretonne.
8. Celui de l'émission *Faites affaire* est simple.
9. La nuit, Yann et Katell en mettent dans la voiture de la libraire.

	1	G					
	2				R		
3		I					
4	M						
5				C			
	6	S					
	7	C					
8				P			
	9	S					

Mot mystère :

Ils reviennent toujours sur les lieux du crime. → ....

4 **Choisissez le bon verbe et conjuguez-le au présent :**
pouvoir, devoir, vouloir.

1. Le chat .... rester dehors. (obligation)

2. Vous .... parler tranquillement. (possibilité)

3. Nous .... garder le programme de la Fête du livre. (volonté)

4. Le témoin .... tout dire à la police. (obligation)

5. Je .... déjeuner dans cette crêperie. (possibilité)

6. Katell et Yann ne .... pas être vus. (volonté)

5 Pourquoi Jeanne Le Cam est heureuse de parler avec un commissaire ?

....

....

6 À votre avis, fallait-il ou ne fallait-il pas annuler la Fête du livre après la mort de Yann ?

....

....

CHAPITRE 4

1 🔘 piste 4 → **Écoutez le chapitre. Avez-vous bien compris ? Choisissez la réponse qui convient**

1. Le commissaire est seul dans la librairie, car :

☐ **a.** les autres policiers dînent à la crêperie.

☐ **b.** Les autres policiers interrogent les voisins.

☐ **c.** Il a renvoyé les autres policiers chez eux.

2. Romain parle tout haut avec Yann, mais il ne répond pas, car :

☐ **a.** il est dans une autre pièce.

☐ **b.** il est mort.

☐ **c.** il ne comprend pas la question.

3. Romain se demande :

☐ **a.** « Ma vie se résume à ça ? »

☐ **b.** « Pourquoi je ne lis pas ? »

☐ **c.** « Quel âge ont ces chats ? »

4. Le commissaire ne rentre pas tout de suite à Rennes, car :

☐ **a.** il est fatigué.

☐ **b.** il a perdu ses clés de voiture.

☐ **c.** il attend le retour de Yann Cornic.

5. La silhouette entre facilement dans la librairie, car :

☐ **a.** Elle a la clé de la porte.

☐ **b.** La porte n'est pas fermée à clé.

☐ **c.** Elle casse la vitre d'une fenêtre.

2 **Lisez le chapitre. Classez les phrases dans l'ordre de l'histoire.**

a. Le commissaire Bourdon reçoit un coup sur la tête.

b. Il éteint les lumières et s'assied dans l'obscurité.

c. Romain ouvre la porte derrière le meuble.

d. Les chats font tomber par terre la maquette d'un bateau.

e. Il entend la porte de la librairie qui grince.

f. Le commissaire lit un cahier ouvert sur une table de la pièce secrète.

g. Le commissaire Bourdon marche seul au milieu des souvenirs de Yann Cornic.

1	2	3	4	5	6	7
....	....	....	....	....	....	....

3 **Mettez les mots de l'histoire dans l'ordre pour faire des phrases.**

1. dans / est seul / la librairie / Le commissaire Bourdon / de Yann Cornic.

....

2. L'un / ses genoux. / des deux chats / sur / monte

....

3. de livres. / liste / contient / une / Le cahier.

....

4. grince. / la porte / Soudain, / de la librairie / à l'arrière

....

5. tête. / Romain / reçoit / un grand / sur la / coup

....

4 **Écrivez les chiffres en lettres.**

1. 43 → ....

2. 3 000 → ....

3. 1 878 → ....

4. 90 → ....

5. 2 200 → ....

5 **Pourquoi un chat balance sa queue et l'autre a les oreilles vers l'arrière ?**

....

....

....

....

6 **À votre avis, Romain Bourdon peut-il encore devenir un grand lecteur ?**

....

....

....

....

CHAPITRE 5

1 **Lisez le chapitre. Qui dit quoi ? Associez.**

a. C'est grâce à mon expérience de policier.

b. Car ce sont des livres volés.

c. J'ai dormi comme un bébé.

1. Le commissaire Bourdon

2. Katell Guénan

3. Jeanne Le Cam

d. Vous me surveillez ?

e. Je me souviens de deux détails.

f. Vous parliez de quoi avec Fabrice Lami ?

g. Je le jure sur la tombe de mon mari !

h. Comment avez-vous trouvé cette pièce ?

i. Katell Guénan est montée dans cette voiture ?

2 Complétez la grille avec des mots du chapitre. Retrouvez le mot qui se cache verticalement.

1. Jeanne n'aime pas l'acteur …. qui fait la publicité du café.
2. Katell habite au-dessus de sa …. .
3. KG sont les …. de Katell Guénan.
4. Romain veut poser des …. urgentes à Katell Guénan.
5. Les deux chats lisent-ils dans l' …. du commissaire ?
6. Jeanne a très bien dormi, ce n'est pas de …. .
7. Katell est montée dans une grande …. blanche.
8. Katell Guénan et Fabrice Lami discutent devant l' …. Notre-Dame.
9. Du sang sur le sol, c'est une belle …. .

Mot mystère :

« Je t'envoie les photos de ce vieux ……………………… par WhatsApp. »

3 piste 5 → **Écoutez le chapitre. Mettez les lettres dans l'ordre et retrouvez les mots du texte.**

1. É N O L I L N A T C H

Pludono confie un é……………………… de sang à un de ses hommes.

2. G O X U N E

Le commissaire pose ses mains sur ses g....................... .

3. T S E A S

Jeanne offre une t....................... de café au commissaire.

4. T L B E A

La libraire dispose des livres sur une t....................... devant sa boutique.

5. C L A T O H O C

Katell avait envie d'un pain au c....................... .

4 Complétez avec la bonne préposition de temps :

> dans - depuis - pendant - en - à - au.

1. Je vous téléphone .... une heure, mais vous ne répondez pas.

2. La Fête du livre commence .... quatre heures.

3. Jeanne a dormi de 10 heures .... 7 heures.

4. Le commissaire veut partir puis les regarde parler ....
cinq minutes.

5. Yann Cornic est mort .... deux jours.

6. L'histoire se passe .... printemps.

5 Pourquoi le commissaire ne raconte-t-il pas comment il a découvert la pièce secrète ?

....

....

....

6 À votre avis, que penserait Katell de l'intervention des chats dans l'enquête ?

....

....

....

1 🔘 piste 6 → **Écoutez le chapitre. Avez-vous bien compris ? Choisissez la réponse qui convient.**

1. Yann Cornic volait des livres :
☐ **a.** pour les brûler.
☐ **b.** pour les donner à Katell Guénan.
☐ **c.** simplement par amour des livres.

2. Yann et Katell transportaient les livres la nuit pour :
☐ **a.** les jeter dans la mer.
☐ **b.** les rendre à leurs propriétaires.
☐ **c.** les cacher dans la librairie de Katell.

3. Katell apprend au commissaire que Jeanne Le Cam :
☐ **a.** est célibataire.
☐ **b.** a tué Yann Cornic.
☐ **c.** vole des livres.

4. Romain Bourdon demande à Fabrice Lami :
☐ **a.** de l'accompagner à la librairie de Yann.
☐ **b.** de participer à l'émission *Faites affaire*.
☐ **c.** de lui prêter sa voiture.

2 **Lisez le chapitre. Associez les questions aux réponses.**

1. Pourquoi Yann Cornic voulait-il rendre les livres volés ?
2. Qui se cache sous une couverture dans la voiture de Romain ?
3. À quelle heure Jeanne a vu une silhouette sortir de la librairie de Yann ?
4. Comment les chats réagissent-ils quand le commissaire leur pose des questions ?

a. Ils ne répondent pas.
b. Les deux chats, Korrigan et Dame blanche.
c. À 2 heures du matin.
d. Car il a dit à Katell : « J'ai fait une erreur ».

1	2	3	4
....	....	....	....

3 Relisez les phrases du chapitre. Trouvez leur sens.

1. Cela ne l'excuse pas :
☐ **a.** Il est quand même coupable de vol de livres.
☐ **b.** Il a le droit de voler les livres.

2. Je vois de tout dans mon métier :
☐ **a.** Je trouve toujours le coupable à la fin de l'enquête.
☐ **b.** Je vis des situations surprenantes comme policier.

3. Seuls les faits comptent :
☐ **a.** L'important est ce qui se passe dans la réalité.
☐ **b.** L'important est ce que pense le commissaire.

4. Le programme est riche et varié :
☐ **a.** La Fête coûte cher à organiser.
☐ **b.** Les activités sont intéressantes et très différentes.

5. J'ai besoin de votre savoir d'expert :
☐ **a.** Vos connaissances peuvent m'aider.
☐ **b.** Je sais autant de choses que vous sur le sujet.

4 Conjuguez les verbes au passé récent.

1. À Bécherel, la Fête du livre _vient de commencer_.

2. Un policier .... (trouver) le couteau.

3. Les deux chats .... (sortir) de la voiture.

4. Tu .... (manger) ton dernier caramel.

5. Je .... (rentrer) chez moi.

6. Nous .... (régler) les derniers détails.

5 Pourquoi la grande voiture blanche de Fabrice Lami a-t-elle un lien avec l'enquête ?

....
....

6 À votre avis, Katell peut-elle avoir tué Yann Cornic ? Pourquoi ?

....
....

CHAPITRE 7

1 piste 7 → **Écoutez le chapitre 7 et répondez aux questions.**

1. Pourquoi Romain est surpris de voir Fabrice Lami devant la porte de la librairie de Yann ?

....

2. Pourquoi Romain a-t-il un choc à la vue des photos des trois pages du faux manuscrit ?

....

3. Pourquoi Romain repense-t-il au sparadrap de Fabrice Lami ?

....

4. Pourquoi Romain ne veut-il plus montrer le manuscrit à l'expert ?

....

5. Pourquoi Romain propose-t-il de sortir par l'arrière de la librairie ?

....

2 **Lisez le chapitre. Qui peut dire quoi ? Associez.**

a. Je ne gagne pas assez d'argent pour m'acheter cette voiture.

b. C'est mon émission préférée après les séries policières.

c. Le commissaire sait mais il n'a pas de preuve contre moi.

1. Romain Bourdon

2. François Lami

3. Jeanne Le Cam

d. Finalement, je n'ai pas vu Katell ce soir-là.

e. J'ai mis le couteau chez la libraire, on va l'accuser.

f. Les mêmes initiales que cet expert, est-ce un hasard ?

g. C'est du bon travail, Pludono !

h. Il revient chez moi, mon témoignage est important.

i. Demain, je quitte Bécherel, mais je reviendrai.

3 Complétez les mots avec :

hen - cou - nus - ons - ment - ant - eur - ne - que - ais.

En 2001, un collectionn......... (1) a découvert trois autres pages de ce ma......... (2)crit. Cette fois-ci, elles sont écrites entière......... (3) en langue breton......... (4). C'est une immense dé......... (5)verte. Le plus grand expert de l'épo......... (6) étudie ces pages pend......... (7) six mois et les déclare aut......... (8)tiques. Il s'occupe également de la vente des trois pages à un riche japon......... (9) pour trois milli......... (10) d'euros.

4 Choisissez le bon pronom relatif *qui* ou *que*.

1. C'est le faussaire .... a fait le manuscrit.

2. La voiture .... regarde le commissaire est grande et blanche.

3. La librairie .... choisit l'expert est la bonne.

4. Le policier .... téléphone est Pludono.

5. L'homme .... est devant Romain Bourdon est-il coupable ?

6. Le témoignage .... Jeanne a fait est faux.

5 Quels sont les éléments qui accusent Fabrice Lami ?

....
....
....
....

6 À votre avis, pourquoi Jeanne Le Cam a fait tout d'abord un faux témoignage ?

....
....
....
....
....

1 💿 piste 8 → **Écoutez le chapitre. Vrai ou faux ? Cochez la réponse qui convient. Justifiez lorsque vous pensez que c'est faux.**

	Vrai	Faux
1. L'émission *Faites affaire* a lieu à la Maison du Livre.	☐	☐
2. Julie Duchais refuse d'accueillir le candidat suivant.	☐	☐
3. Fabrice Lami ne reconnaît pas les trois pages.	☐	☐
4. Fabrice Lami a tué Yann Cornic.	☐	☐
5. Fabrice Lami emporte le manuscrit et essaye de s'enfuir.	☐	☐
6. Pendant l'arrestation, les deux chats sont dans la librairie de Yann Cornic.	☐	☐

Justification :

....

....

....

2 **Observez les mots soulignés. Écrivez leurs contraires.**

1. L'émission *Faites affaire* est un <u>échec</u>.

→ ....

2. Fabrice Lami n'entend pas la <u>réponse</u>.

→ ....

3. L'expert cherche <u>nulle part</u> pendant trois heures.

→ ....

4. Quelques secondes plus tard, Fabrice Lami est <u>dedans</u>.

→ ....

5. Fabrice Lami <u>ralentit</u> encore.

→ ....

6. La voiture <u>commence</u> sa course dans l'eau du bassin.

→ ....

3 Complétez la grille avec des mots du chapitre.

1. L'analyse de sang sera une .... contre Fabrice Lami.

2. Le .... est l'arme du crime.

3. Fabrice Lami n'entend pas la question, le .... est trop grand.

4. Deux .... bondissent sur la vitre avant de la voiture !

5. La présentatrice et l'........ sont installés derrière une table.

6. L'assassin revient toujours sur les .... du crime.

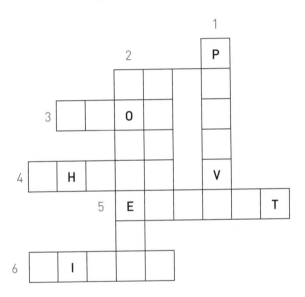

4 Complétez avec le bon adjectif indéfini :

tout, toute, tous, toutes.

1. .... les spectateurs hurlent.

2. Fabrice Lami regarde .... les pages du manuscrit.

3. Le commissaire a compris .... l'histoire.

4. .... le manuscrit est faux.

5. L'affaire du manuscrit a brisé .... sa vie.

6. .... les policiers courent après Fabrice Lami.

5 Pourquoi Fabrice Lami n'a pas accepté de serrer la main de Yann Cornic ?

....

....

6 À votre avis, les assassins reviennent-ils toujours sur les lieux de leur crime ?

....

....

ÉPILOGUE

🔘 piste 9 → **Écoutez l'épilogue puis répondez aux questions.**

À votre avis...

1. Romain a-t-il définitivement adopté les deux chats ?

....

....

2. Que va faire Katell de la librairie de Yann Cornic ?

....

....

3. Pourquoi Romain aide-t-il Katell à rendre les livres volés ?

....

....

4. Jeanne Le Cam continuera-t-elle à regarder par sa fenêtre ?

....

....

5. La lecture de *Osez changer de vie* va-t-elle changer la vie de Romain ?

....

....

1 **Replacez les titres dans l'ordre de l'histoire. Puis proposez votre propre titre pour chaque chapitre.**

☐ **1.** Vous êtes arrivés à destination

....

☐ **2.** Vous allez bien commissaire ?

....

☐ **3.** La grande voiture blanche

....

☐ **4.** Des vieux livres et de la poussière

....

☐ **5.** *FL. Leyde ? FL = PH ?*

....

☐ **6.** Police, ne bougez pas !

....

☐ **7.** L'assassin revient toujours sur les lieux de son crime.

....

☐ **8.** Je le jure sur la tombe de mon mari

....

2 **Associez les informations aux personnages.**

1. Romain Bourdon

2. Katell Guénan

3. Fabrice Lami

4. Jeanne Le Cam

a. Il aime son métier, mais s'interroge sur la suite de sa vie.
b. Sa librairie s'appelle *L'Éveil*.
c. Elle est heureuse d'aider la police.
d. Un scandale a brisé sa vie.
e. Il aime les caramels mous au beurre salé.
f. Il termine sa fuite dans un bassin.
g. Elle passe beaucoup de temps à regarder à travers sa fenêtre.
h. Après la mort de Yann, elle continue de rendre les livres volés.

3 **Qui dit quoi ? Associez.**

a. Seuls les faits comptent.

b. Yann est mon ami, je ne l'ai pas tué.

c. Rassurez-moi, l'assassin du libraire est loin maintenant ?

1. Romain Bourdon
2. Katell Guénan
3. Fabrice Lami
4. Jeanne Le Cam
5. Franck Pludono

d. À vos souhaits, commissaires. Vous êtes allergique aux livres ?

e. Je le jure sur la tombe de mon mari !

f. Elle est peut-être vraiment une sorcière.

g. Je suis peut-être le seul à conduire ce modèle de voiture dans la région.

h. N'ayez pas peur, le livre ne va pas vous brûler les doigts.

i. Je vous arrête pour le meurtre de Yann Cornic.

j. L'émission aura quand même lieu demain ?

4 **Aidez-vous des phrases pour trouver dans la grille les mots de l'histoire.**

1. La .... de l'histoire est un libraire de Bécherel.

2. Bécherel est la Cité du ....

3. L'arme du crime est un ....

4. Les deux .... de Yann Cornic aident-ils le commissaire ?

5. Pludono adore la .... jambon-œuf-fromage.

6. Katell et Yann sont deux des quinze .... de Bécherel.

7. L'analyse du .... de Fabrice Lami sera une preuve contre lui.

8. Jeanne Le Cam adore les .... policières de la télévision.

9. La .... de la porte était dans la maquette d'un bateau.

V	O	C	R	I	M	E	L	T	L
I	L	I	V	R	E	P	Q	S	I
C	U	F	C	H	A	T	S	A	B
T	L	I	B	O	N	H	X	N	R
I	C	L	E	Z	T	O	W	G	A
M	A	U	S	E	R	I	E	S	I
E	I	C	O	U	T	E	A	U	R
G	A	L	E	T	T	E	V	S	E

5 **Barrez l'intrus.**

1. Commissaire Bourdon - caramel - allergique - grand lecteur

2. Librairie - Katell Guénan - livres volés - meurtrière

3. Scandale - expert - Fabrice Lami - innocent

4. Dame blanche - Korrigan - SPA - pièce secrète

6 **Selon vous, l'aide qu'apportent Korrigan et Dame Blanche au commissaire est-elle un hasard ?**

....
....
....
....

7 **Êtes-vous un « petit lecteur » comme Romain Bourdon ou un amoureux fou des livres comme Yann Cornic ?**

....
....
....
....
....

Un roman policier, ou polar, commence généralement avec la découverte d'un délit[1]. Il s'agit par exemple d'un vol ou d'un meurtre. Le personnage principal de l'histoire est souvent un policier. Le lecteur le suit mener son enquête jusqu'à l'arrestation du coupable. Il existe trois grands types de romans policiers : le roman à énigmes, le roman noir et le thriller. Le roman à énigmes est le plus classique. L'enquêteur découvre petit à petit des indices qui lui permettent de reconstituer la vérité. C'est grâce à sa réflexion qu'il arrête le coupable. Le roman noir met au premier plan les problèmes de la société : violence, racisme, crises sociales... Le bien et le mal y sont mélangés et l'enquêteur est souvent un antihéros[2]. L'enquête d'un thriller se déroule dans une atmosphère de peur et d'angoisse. Le suspense provient du danger qui menace les personnages du début à la fin de l'histoire.

1 Un délit : un acte puni par la loi.
2 Un antihéros : le personnage d'une histoire qui n'a pas les caractéristiques du héros classique.

1 **Lisez le texte. Vrai ou faux ? Cochez la réponse qui convient.**
Justifiez lorsque vous pensez que c'est faux.

	vrai	faux
1. Un roman policier commence par la découverte du délit.	☐	☐
2. Le personnage principal est souvent la victime.	☐	☐
3. Le roman à énigmes met en avant les problèmes de la société.	☐	☐
4. L'enquêteur d'un roman noir est souvent un antihéros.	☐	☐
5. Le suspense du thriller provient des crises sociales.	☐	☐

Justification :

....

....

....

Le polar en France

Le roman policier français est né en 1886 avec *L'affaire Lerouge* d'Émile Gaboriau (1832-1873). Maurice Leblanc (1864-1941) et Gaston Leroux (1868-1927) font ensuite trembler les lecteurs du début du xxe siècle. L'intérêt du public pour ce genre entraîne la création en 1927 de la première collection spécialisée, « Le Masque ». Puis, les Français découvrent le roman noir grâce à Léo Mallet (1909-1996) et Jean-Patrick Manchette (1942-1995). En 1995, la collection « Le Poulpe » édite des romans écrits par des auteurs différents, mais avec le même personnage principal, le détective Gabriel Lecouvreur. Malgré un grand succès auprès du public, le genre policier reste pourtant une « sous-littérature » jusqu'à la fin du xxe siècle. Aujourd'hui, il existe des festivals (Quai du polar à Lyon) et des prix (prix du Quai des Orfèvres) consacrés aux polars et chaque maison d'édition possède sa collection spécialisée. Les auteurs les plus connus s'appellent Didier Daeninck, Jean-Christophe Grangé, Fred Vargas, Franck Thilliez...

2 **Lisez le texte. Avez-vous bien compris ? Choisissez la réponse qui convient.**

1. L'auteur du premier roman policier français est :
☐ **a.** Maurice Leblanc.
☐ **b.** Émile Gaboriau.

2. « Le Masque » est le nom :
☐ **a.** d'une collection de livres policiers.
☐ **b.** d'un genre littéraire.

3. Léo Mallet et Franck Manchette ont écrit principalement des :
☐ **a.** romans noirs.
☐ **b.** thrillers.

4. Aujourd'hui, le genre policier est :
☐ **a.** une « sous-littérature ».
☐ **b.** reconnu grâce à des festivals et des prix.

5. Les maisons d'édition avec une collection spécialisée en polars sont :
☐ **a.** nombreuses.
☐ **b.** rares.

FICHE 2 | LES CITÉS, VILLES ET VILLAGES DU LIVRE

L'histoire commence au pays de Galles. À partir de 1962, un libraire du nom de Richard Booth propose à des bouquinistes[1] de s'installer dans son village. Hay-on-Wye devient ainsi le premier village du livre et se fait connaître comme la « plus grande librairie de livres d'occasion au monde » ! Les villes de Redu, en Belgique, puis Bécherel en France, se lancent dans la même aventure en 1984 et 1989. Aujourd'hui, huit cités, villes ou villages du livre existent en France. Tous sont des lieux pittoresques[2] qui ont eu un riche passé historique, mais qui souffrent de l'exode rural[3]. L'installation des professionnels du livre (libraires, relieurs, imprimeurs, éditeurs, enlumineurs, calligraphes…) dynamise[4] la vie culturelle et économique de ces communes et y développe le tourisme.

---

1 Un bouquiniste : un vendeur de livres anciens d'occasion.
2 Pittoresque : original et intéressant.
3 Un exode rural : le mouvement d'une population des campagnes vers les villes.
4 Dynamiser : rendre plus vivant.

1 Lisez le chapitre. Associez les questions aux réponses

1. Dans quel pays se trouve le premier village du livre ?

....

2. En quelle année Bécherel devient une Cité du livre ?

....

3. Combien de cités, villes et villages du livre y-a-t'il en France ?

....

4. Pouvez-vous citer trois métiers du livre ? Lesquels ?

....

....

5. Quelle activité se développe dans les villes du livre ?

....

....

La cité du livre de Bécherel

À Bécherel, libraires et artisans du livre partagent leur passion lors de nombreuses manifestations. Le Marché mensuel du livre ancien et d'occasion a lieu le 1er dimanche de chaque mois, de mars à décembre. Ces jours-là, des bouquinistes s'installent dans les rues aux côtés des libraires de la ville. La Fête du Livre réunit les amateurs autour d'un thème particulier le week-end de Pâques. Au programme, il y a des rencontres avec des auteurs, des ateliers, des conférences et des spectacles. La Nuit du Livre propose au début du mois d'août des animations littéraires et artistiques. La petite commune d'environ 700 habitants reçoit ainsi chaque année des milliers de collectionneurs de livres, de lecteurs et de curieux.

2 **Lisez le texte. Associer les phrases.**

1. Les libraires et artisans de Bécherel....

2. Le Marché mensuel a lieu de ...

3. La Fête du livre réunit les amateurs...

4. La Nuit du livre propose ...

5. Bécherel reçoit chaque année ...

a. autour d'un thème particulier.

b. partagent leur passion lors de manifestations.

c. mars à décembre.

d. des animations littéraires.

e. des milliers de collectionneurs, de lecteurs et de curieux.

CORRIGÉS

CHAPITRE I

1 1. b - 2. c - 3. a - 4. b - 5. b

2 La victime, libraire, anciens, bretonne, soixante, au-dessus, l'année dernière, ventre, décès, découvert.

3 Bourdon : a, c, f, h.
Pludono : b, d, e, g.

4 1. Laissez
2. Arrête
3. Trouvons
4. Interroge
5. Lis
6. Prenez

5 Car il pense que son éternuement vient de son allergie aux poils de chat.

6 Production libre.

CHAPITRE 2

1 1. Vrai.
2. Faux. Elle est spécialisée dans le développement personnel, l'ésotérisme…
3. Faux. Elle était très proche d'eux.
4. Vrai.
5. Vrai.
6. Faux. C'étaient ceux de Yann Cornic.

2 1. b - 2. a - 3. a - 4. b - 5. a

3 1. première
2. particulière
3. positives
4. fragile
5. extraordinaires
6. jeune

4 2. la
3. les
4. lui

5. leur
6. les

5 Il n'aime pas parler de lui et Katell lui a posé des questions très personnelles.

6 Production libre.

CHAPITRE 3

1 1. Vrai.
2. Faux. Ils sortent par l'arrière.
3. Vrai.
4. Faux. Il est l'expert de l'émission *Faites affaire*.
5. Faux. Le programme de la Fête du livre ne change pas.

2 fenêtre, programmes, porte, sacs, voiture, parking, pourquoi, matin, illégal, affaires.

3 1. galette
2. sourire
3. gris
4. hommage
5. moustache
6. séries
7. cidre
8. principe
9. sacs

Mot mystère : assassins

4 1. doit
2. pouvez
3. voulons
4. doit
5. peux
6. veulent

5 Elle aime les séries policières et va rendre jalouse son amie la boulangère.

6 Production libre.

CHAPITRE 4

1 1. c - 2. b - 3. a - 4. a - 5. b

2 Ordre des phrases :
1. g - 2. d - 3. c - 4. f - 5. b - 6. e - 7. a

3 1. Le commissaire Bourdon est seul dans la librairie de Yann Cornic.
2. L'un des deux chats monte sur ses genoux.
3. Le cahier contient une liste de livres.
4. Soudain, la porte à l'arrière de la librairie grince.
5. Romain reçoit un grand coup sur la tête.

4 1. Quarante-trois
2. Trois mille
3. Mille huit cent-soixante-dix-huit
4. Quatre-vingt-dix
5. Deux mille deux cents

5 Car ils sentent l'arrivée d'un danger.

6 Production libre.

CHAPITRE 5

1
1. Le commissaire Bourdon : a, f, i
2. Katell Guénan : b, d, h
3. Jeanne Le Cam : c, e, g

2 1. américain
2. librairie
3. initiales
4. questions
5. esprit
6. chance
7. voiture
8. église
9. piste

Mot mystère : manuscrit

3 1. échantillon
2. genoux
3. tasse
4. table
5. chocolat

4 1. depuis
2. dans
3. à
4. pendant
5. depuis
6. au

5 Il a peur du ridicule, car il a déjà parlé une fois des chats qui l'ont amené sur la place de la Croix.

6 Production libre.

CHAPITRE 6

1 1. c
2. b.
3. a
4. b

2 1. d
2. b
3. c
4. a

3 1. a
2. b
3. a
4. b
5. a

4 2. vient de trouver
3. viennent de sortir
4. viens de manger
5. viens de rentrer
6. venons de régler

5 Car Jeanne Le Cam a vu Katell monter dans une grande voiture blanche la nuit de la mort de Yann Cornic.

6 Production libre.

CHAPITRE 7

1 1. Car l'expert dit ne pas connaître la librairie et choisit la bonne.
2. Car ce sont les pages trouvées dans la pièce secrète de Yann Cornic.
3. Car un chat a griffé la silhouette dans la librairie.
4. Car Fabrice Lami est maintenant un suspect de son enquête.
5. Car il espère que Jeanne est à sa fenêtre et peut comparer l'expert avec la silhouette de la nuit du meurtre.

2
Romain Bourdon : a, f, g
François Lami : c, e, i
Jeanne Le Cam : b, d, h

3 1. eur
2. nus
3. ment
4. ne
5. cou
6. que
7. ant
8. hen
9. ais
10. ons

4 1. qui
2. que
3. que
4. qui
5. qui
6. que

5 Sa voiture grande et blanche, ses initiales, son métier d'expert, son sparadrap, sa silhouette reconnue par Jeanne, sa présence à Bécherel.

6 Production libre.

CHAPITRE 8

1 1. Vrai.
2. Faux. Elle accueille Romain Bourdon.
3. Faux. Fabrice Lami reconnaît tout de suite les trois pages.
4. Vrai.
5. Vrai.
6. Faux. Ils sont sur le toit de la maison en face du lavoir.

2 1. réussite
2. question
3. partout
4. dehors
5. accélère
6. termine

3 1. preuve
2. couteau
3. choc
4. chats
5. expert
6. lieux

4 1. tous
2. toutes
3. toute
4. tout
5. toute
6. tous

5 Sa vie a trop été bouleversée par le scandale du faux manuscrit.

6 Production libre.

ÉPILOGUE

Production libre.

ACTIVITÉS DE SYNTHÈSE

1 4. 2. 7. 6. 8. 3. 5. 1.
Production libre.

2 1. Bourdon : a, e
2. Katell Guénan : b, h

3. Fabrice Lami : d, f
4. Jeanne Le Cam : c, g

3 1. Romain Bourdon : a, i
2. Katell Guénan : b, h
3. Fabrice Lami : c, g
4. Jeanne Le Cam : e, j
5. Franck Ploudono : d, f

4 1. victime
2. livre
3. couteau
4. chats
5. galette
6. libraires
7. sang
8. séries
9. clé

5
1. grand lecteur
2. meurtrière

3. innocent
4. SPA

6 Production libre.

7 Production libre.

FICHE 1

1 1. Vrai
2. Faux.
3. Faux.
4. Vrai.
5. Faux.

Justification :

2. C'est souvent un policier.
3. Le roman à énigmes met en avant la découverte d'indices.
5. Il provient du danger qui menace les personnages.

2 1. b
2. a
3. a
4. b
5. a

FICHE 2

1 1. Le pays de Galles
2. En 1989.
3. huit.
4. libraire, relieur, calligraphe par exemple.
5. Le tourisme

2 1. b
2. c
3. a
4. d
5. e

Imprimé en France en janvier 2020,
par Imprimerie CHIRAT - 42540 Saint-Just-la-Pendue - N° 202001.0051
Dépôt légal : Janvier 2020 - Édition 01 - 30/5900/9